LA GUINGUETTE
À DEUX SOUS

GEORGES SIMENON

LE COMMISSAIRE MAIGRET

LA GUINGUETTE
À DEUX SOUS

PRESSES POCKET

La loi du 11 mars 1957 n'autorisant, aux termes des alinéas 2 et 3 de l'Article 41, d'une part, que les *copies ou reproductions strictement réservées à l'usage privé du copiste et non destinées à une utilisation collective*, et d'autre part, que les analyses et les courtes citations dans un but d'exemple et d'illustration, *toute représentation ou reproduction intégrale ou partielle, faite sans le consentement de l'auteur ou de ses ayants droit ou ayants cause, est illicite* (alinéa 1er de l'Article 40)
Cette représentation ou reproduction, par quelque procédé que ce soit, constituerait donc une contrefaçon sanctionnée par les Articles 425 et suivants du Code Pénal.

1

LE SAMEDI DE M. BASSO

Une fin d'après-midi radieuse. Un soleil presque sirupeux dans les rues paisibles de la Rive Gauche. Et partout, sur les visages, dans les mille bruits familiers de la rue, de la joie de vivre.

Il y a des jours ainsi, où l'existence est moins quotidienne et où les passants sur les trottoirs, les tramways et les autos semblent jouer leur rôle dans une féerie.

C'était le 27 juin. Quand Maigret arriva à la poterne de la Santé, le factionnaire attendri regardait un petit chat blanc qui jouait avec le chien de la crémière.

Il doit y avoir des jours aussi où les pavés sont plus sonores. Les pas de Maigret résonnèrent dans la cour immense. Au bout d'un couloir il interrogea un gardien.

« Il a appris ?...

— Pas encore. »

Un tour de clef. Un verrou. Une cellule très haute, très propre, et un homme qui se levait tandis que son visage semblait chercher une expression.

« Ça va, Lenoir ? » questionna le commissaire.

Celui-ci avait failli sourire. Mais une idée durcissait soudain ses traits. Ses sourcils se rapprochaient, soupçonneux. L'espace de quelques secondes, il esquissa une moue hargneuse, puis il haussa les épaules, tendit la main.

« Compris ! articula-t-il.

— Compris quoi ? »

Un sourire désabusé.

« Ne la faites pas à moi, hein ! Si vous êtes ici...

— C'est que je pars demain matin en vacances et... »

Le prisonnier rit, d'un rire sec. C'était un grand garçon aux cheveux bruns rejetés en arrière. Des traits réguliers. De beaux yeux marron. De fines moustaches qui faisaient ressortir la blancheur de ses dents pointues comme celles de rongeurs.

« Vous êtes gentil, monsieur le commissaire... »

Il s'étira, bâilla, referma le couvercle du W.-C. qui, dans un coin de la cellule, était resté ouvert.

« Faites pas attention au désordre... »

Et soudain, le regard dans les yeux de Maigret :

« Le pourvoi est rejeté, pas vrai ? »

C'était inutile de mentir. Il avait déjà compris. Il marchait de long en large.

« J'avais pas d'illusion !... Alors ?... demain ? »

Quand même, sur le dernier mot, la voix se

voila et les yeux cueillirent la lueur du jour qui
filtrait d'une fenêtre étroite, très haut.

A la même heure, les journaux du soir qu'on
criait aux terrasses des cafés publiaient :

*« Le président de la République a rejeté le pourvoi de
Jean Lenoir, le jeune chef de bande de Belleville.
L'exécution aura lieu demain au lever du jour. »*

C'est Maigret qui, trois mois plus tôt, avait mis
la main au collet de Lenoir, dans un hôtel de la
rue Saint-Antoine. Une seconde de plus et la balle
que l'assassin tirait dans sa direction l'atteignait
en pleine poitrine au lieu de se perdre dans le
plafond.

N'empêche que le commissaire s'était intéressé
à lui, sans rancune. D'abord, peut-être, parce que
Lenoir était jeune. Un garçon de vingt-quatre ans
qui, depuis l'âge de quinze ans, collectionnait les
condamnations.

Puis parce qu'il était crâne. Il avait des compli-
ces. Deux d'entre eux avaient été arrêtés le même
jour que lui. Ils étaient aussi coupables et, dans la
dernière affaire, l'attaque à main armée d'un
encaisseur, sans doute avaient-ils pris une plus
grande part que le chef.

Lenoir les déchargeait néanmoins, prenait tout
à son compte, refusait de « manger le morceau ».

Il était sans pose, sans forfanterie. Il ne mettait pas sa déchéance sur le compte de la société.

« J'ai perdu !... » se contentait-il de dire.

C'était fini. Ou plutôt, quand le soleil qu'on voyait dorer un morceau du mur de la cellule se lèverait à nouveau, ce serait fini.

Lenoir eut malgré lui un geste sinistre. Tout en marchant, il se passa la main sur la nuque, frissonna, devint pâle, éprouva le besoin de ricaner :

« Quand même ! Ça fait un drôle d'effet... »

Et brusquement, avec un flot de rancœur dans la bouche :

« Si seulement on allait là-bas avec tous ceux qui le méritent ! »

Il observa Maigret, hésita, fit encore le tour de l'étroite pièce, grommela :

« Ce n'est pas aujourd'hui que je vais commencer à « donner » quelqu'un... Mais quand même !... »

Le commissaire évitait de le regarder. Il sentait venir la confession. Et il savait l'autre si farouche qu'un simple tressaillement, ou un intérêt trop marqué, suffirait à lui fermer la bouche.

« Naturellement, vous ne connaissez pas la guinguette à deux sous... Eh bien, si vous allez faire un tour par là, dites-vous bien qu'il y a un type, parmi les habitués, qui ferait mieux que moi, demain, sur la machine... »

Il marchait toujours. Il ne pouvait pas s'arrêter.

Cela en devenait hallucinant. C'était sa seule manière de trahir sa fièvre.

« Mais vous ne l'aurez pas... Tenez ! sans « me mettre à table », je peux bien vous raconter ça... Je ne sais pas pourquoi ça me revient aujourd'hui... Peut-être parce que c'est une histoire de gosse... Je devais avoir dans les seize ans... On était deux à fréquenter les bals musettes et à chaparder... L'autre, à l'heure qu'il est, doit être dans un sanatorium... Il toussait déjà... »

Est-ce que, maintenant, il ne parlait pas pour se donner l'illusion de la vie, pour se prouver à lui-même qu'il était encore un homme ?

« Une nuit... Il était dans les trois heures... On longeait la rue... Mais non ! je ne vous dirai pas le nom de la rue... Une rue quelconque. On voit de loin une porte qui s'ouvre... Il y avait une auto au bord du trottoir... Un type sort, en en poussant un autre... Non ! Pas le pousser... Imaginez un mannequin qu'on voudrait faire marcher avec soi comme si c'était un copain !... Il le met dans la bagnole, s'installe au volant... Mon ami me lance une œillade et nous voilà tous les deux sur le pare-choc arrière... En ce temps-là, on m'appelait le Chat... C'est tout dire !... On se promène dans des tas de rues... Le frère qui conduit a l'air de chercher quelque chose, de s'être trompé... A la fin, on comprend ce qu'il cherche, car il arrive au canal Saint-Martin... Vous avez deviné, pas vrai ?... Le temps d'ouvrir la portière et de la refermer, ç'était fait... Il y avait un corps dans le jus...

« Réglé comme du papier à musique ! Le bonhomme de l'auto avait dû mettre à l'avance des trucs lourds dans les poches du macchabée, car il n'a pas flotté un instant...

« Nous deux, on se sentait peinards... Nouveau coup d'œil... On remonte à notre place... Histoire de bien s'assurer de l'adresse du client... Place de la République, il s'est arrêté pour boire un verre de rhum dans le seul café ouvert... Puis il a conduit sa voiture au garage et il est rentré chez lui... On le voyait en ombre chinoise derrière les rideaux en train de se déshabiller...

« Pendant deux ans, on l'a fait chanter, Victor et moi... On était novices... On avait peur d'en demander trop... Des cent francs à la fois...

« Puis un jour le type a déménagé et on ne l'a pas retrouvé... Il n'y a pas trois mois que je l'ai aperçu par hasard à la guinguette à deux sous et il ne m'a même pas reconnu... »

Lenoir cracha par terre, chercha machinalement ses cigarettes, grommela :

« Quand des gars en sont où j'en suis, on pourrait quand même les laisser fumer... »

Le rayon de soleil s'était éteint, là-haut. On entendait des pas dans les couloirs.

« C'est pas que je sois plus mauvais qu'un autre, mais il faut avouer que le coco dont je vous parle ferait bien, demain matin, avec moi, sur la.. »

Cela jaillit brusquement. Des gouttes de sueur, sur le front. Et, en même temps, les jambes qui mollissaient. Lenoir s'assit au bord de sa couchette.

« Il est temps de me laisser…, soupira-t-il. Ou plutôt non… Non !… Qu'on ne me laisse pas seul aujourd'hui… Cela vaut encore mieux de parler… Tenez ! Voulez-vous que je vous raconte l'histoire de Marcelle, la femme qui… »

On ouvrait la porte. L'avocat du condamné hésitait en apercevant Maigret. Il affichait un sourire de circonstance, pour ne pas laisser deviner à son client que le pourvoi était rejeté.

« Les nouvelles sont bonnes…, commença-t-il.

— Ça va ! »

Et, à Maigret :

« Je ne vous dis pas au revoir, hein, monsieur le commissaire… Chacun son métier… Puis, vous savez, pas la peine d'aller à la guinguette… Le bonhomme est aussi malin que vous… »

Maigret tendit la main. Il vit les narines frémir, la petite moustache brune s'humecter, les canines qui s'enfonçaient dans la lèvre inférieure.

« Ça ou la typhoïde !… » plaisanta Lenoir avec un rire forcé.

⁎⁎*

Maigret ne partait pas en vacances, mais il y avait une affaire de faux bons qui lui prenait presque tout son temps. Il n'avait jamais entendu

parler de la guinguette à deux sous. Il s'informa
auprès de ses collègues.

« Connais pas ! De quel côté ? Sur la Marne ?
En basse Seine ? »

Lenoir avait seize ans au moment de l'affaire
qu'il avait racontée. Donc celle-ci était vieille de
huit ans et un soir Maigret ouvrit les dossiers des
affaires classées de cette année-là.

Mais il n'y avait rien de sensationnel. Des
disparitions, comme toujours. Une femme coupée
en morceaux, dont on n'avait jamais retrouvé la
tête. Quant au canal Saint-Martin, il n'avait pas
rendu moins de sept cadavres.

Et l'histoire des faux bons se compliquait,
exigeait des démarches multiples. Ensuite, il
fallut conduire Mme Maigret en Alsace, chez sa
sœur où, comme chaque année, elle allait passer
un mois.

Paris se vidait. L'asphalte devenait mou sous
les pas. Les passants cherchaient les trottoirs
ombragés et toutes les places étaient prises aux
terrasses.

T'attendons sans faute dimanche. Baisers de tous.

Mme Maigret réclamait, parce que depuis
quinze jours son mari n'était pas allé la voir. On
était le samedi 23 juillet. Il mit de l'ordre dans ses
dossiers, prévint Jean, le garçon de bureau du
quai des Orfèvres, qu'il ne rentrerait sans doute
pas avant le lundi soir.

Au moment de sortir, son regard tomba sur le bord de son chapeau melon, qui était cassé depuis des semaines. Dix fois Mme Maigret lui avait dit d'en acheter un autre.

« On finira par te donner des sous dans la rue... »

Boulevard Saint-Michel, il avisa un chapelier, commença à essayer des melons qui, tous, étaient trop petits pour son crâne.

« Je vous jure que celui-ci... », s'obstinait à lui répéter un blanc-bec de vendeur.

Jamais Maigret n'était aussi malheureux que quand il essayait quelque chose. Or, dans le miroir où il se regardait, il aperçut un dos, une tête, et sur cette tête un chapeau haut de forme.

Comme le client portait un complet de sport gris, c'était plutôt cocasse. Il parlait.

« Non !... Je voudrais un modèle encore plus ancien... Ce n'est pas pour m'habiller... »

Maigret attendait de nouveaux chapeaux qu'on était allé lui chercher dans l'arrière-magasin.

« Si vous voulez, c'est pour une farce... Une fausse noce, que nous organisons avec quelques amis, à la guinguette à deux sous... Il y aura la mariée, la belle-mère, les garçons d'honneur, et tout !... Comme dans une noce villageoise !... Vous voyez maintenant ce qu'il me faut ?... Moi, je fais le maire du village... »

Le client disait cela avec un bon rire. C'était un homme de trente-cinq ans, bien en chair, les joues pleines et roses, qui donnait l'impression d'un commerçant prospère.

« Si vous en aviez par exemple à bord plat...

— Attendez ! Je crois qu'à l'atelier il y a exactement ce qu'il vous faut. C'est un laissé-pour-compte... »

On apportait à Maigret une nouvelle pile de melons. Le premier qu'il essaya lui allait. Mais il traîna, ne sortit que quelques instants avant l'homme au gibus et arrêta à tout hasard un taxi.

Bien lui en prit. L'autre, en sortant, pénétra dans une auto rangée au bord du trottoir, se mit au volant et se dirigea vers la rue Vieille-du-Temple.

Là, il passa une demi-heure chez un brocanteur et emporta un grand carton plat qui devait contenir l'habit assorti au haut-de-forme.

Puis ce furent les Champs-Élysées, l'avenue de Wagram. Un petit bar, à un coin de rue. Il n'y resta que cinq minutes, en sortit en compagnie d'une femme d'une trentaine d'années, grassouil-lette et réjouie.

Deux fois Maigret avait regardé l'heure à sa montre. Son premier train était parti. Le second partirait dans un quart d'heure. Il haussa les épaules, dit au chauffeur de taxi :

« Suivez toujours ! »

Il s'y attendait : l'auto s'arrêta devant un meu-blé de l'avenue Niel. Le couple se précipita sous la voûte. Maigret attendit un quart d'heure, entra, non sans lire sur une plaque de cuivre :

Garçonnières au mois et à la journée.

Dans un bureau qui sentait l'adultère, élégant, il trouva une gérante parfumée.

« Police Judiciaire !... Le couple qui vient d'entrer...

— Quel couple ? »

Elle ne protesta pas longtemps.

« Des gens très bien, mariés tous les deux, qui viennent deux fois par semaine... »

En sortant, le commissaire jeta un coup d'œil sur la plaque d'identité de la voiture, à travers la vitre.

Marcel Basso,
32, quai d'Austerlitz, Paris.

Pas un souffle de brise. Un air tiède. Et tous les tramways, tous les autobus se dirigeant vers les gares, bondés. Les taxis chargés de fauteuils transatlantiques, de cannes à pêche, de filets à crevettes et de valises.

L'asphalte bleu à force d'être luisant et des fracas de verres et de soucoupes à toutes les terrasses.

« Au fait ! il y a trois semaines que Lenoir a été... »

On n'en avait pas beaucoup parlé. C'était une

affaire banale, un assassin en quelque sorte professionnel. Maigret se souvint de sa moustache frémissante, soupira en regardant sa montre.

Trop tard pour aller rejoindre Mme Maigret qui, le soir, serait à la barrière de la petite gare avec sa sœur et qui ne manquerait pas de murmurer :

« Toujours le même ! »

Le chauffeur de taxi lisait un journal. L'homme en haut-de-forme sortit le premier, inspecta la rue dans les deux sens avant de faire signe à sa compagne, restée sous la voûte.

Arrêt place des Ternes. On les voyait s'embrasser à travers la vitre arrière. Et ils se tenaient la main alors que la voiture était déjà embrayée et que la femme avait arrêté un taxi.

« Je continue ? questionna le chauffeur de Maigret.

— Tant qu'on y est !... »

Du moins tenait-il quelqu'un qui connaissait la guinguette à deux sous !

Quai d'Austerlitz. Un énorme panneau :

Marcel Basso
Importateur de charbons
de toutes provenances
Gros — Demi-gros
On livre par sacs à domicile
Prix d'été

Un chantier entouré d'une palissade noirâtre. En

face, de l'autre côté de la rue, un quai de déchargement portant la même raison sociale et des péniches au repos près des tas de charbon déchargé du jour même.

Au milieu des chantiers, une grosse maison, genre villa. M. Basso rangea sa voiture, eut un regard machinal pour s'assurer qu'il n'y avait pas de cheveux de femmes sur ses épaules, entra chez lui.

Maigret le vit reparaître dans une chambre du premier étage dont les fenêtres étaient larges ouvertes. Il était avec une femme grande, blonde, jolie. Ils riaient tous les deux. Ils parlaient avec animation. M. Basso essayait son haut-de-forme et se regardait dans la glace.

On entassait des effets dans des valises. Il y avait une bonne en tablier blanc.

Un quart d'heure plus tard — il était cinq heures — la famille descendait. Un gamin de dix ans marchait le premier, portant un fusil à air comprimé. Puis la servante, Mme Basso, son mari, un jardinier avec les valises...

Tout cela regorgeait de bonne humeur. Des autos passaient, se dirigeant vers la campagne. A la gare de Lyon, les trains dédoublés et triplés sifflaient éperdument.

Mme Basso s'assit près de son mari. Le gosse s'installa derrière, parmi les bagages et baissa les vitres.

L'auto était sans luxe. Une bonne voiture de série, bleu de roi, presque neuve.

Quelques minutes plus tard on roulait vers Villeneuve-Saint-Georges. Puis c'était la route de Corbeil. On traversait cette ville. Un chemin défoncé, le long de la Seine.

Mon Loisir

C'était le nom de la villa, là-bas, entre Morsang et Seine-Port, au bord du fleuve. Une villa neuve, avec des briques éclatantes, des peintures fraîches, des fleurs qui semblaient avoir été lavées le matin.

Un plongeoir tout blanc, dans la Seine. Des canots.

« Vous connaissez le coin ? demanda Maigret à son chauffeur.

— Un peu...

— Il y a moyen de coucher quelque part ?

— A Morsang, au Vieux-Garçon... Ou alors plus haut, à Seine-Port, chez *Marius*...

— Et la guinguette à deux sous ? »

L'autre fit un signe d'ignorance.

Le taxi ne pouvait rester longtemps au bord de la route sans être remarqué. La voiture des Basso était vidée de son contenu. Dix minutes ne s'étaient pas écoulées que Mme Basso se montrait dans le jardin vêtue d'un costume de matelot en toile de Concarneau, un bonnet de marin américain sur la tête.

Son mari devait être plus pressé d'essayer son travestissement, car il apparut à une fenêtre, déjà

sanglé dans une redingote invraisemblable, coiffé
d'un haut-de-forme.

« Qu'est-ce que tu en dis ?

— Tu n'as pas oublié l'écharpe, au moins ?

— Quelle écharpe ?

— Eh bien, un maire, ça porte une écharpe
tricolore... »

Sur le fleuve, des canoës glissaient lentement.
Un remorqueur sifflait, très loin. Le soleil commençait à sombrer dans les arbres de la colline
d'aval.

« Allez au Vieux-Garçon ! » dit Maigret.

Il aperçut une grande terrasse, au bord de la
Seine, des embarcations de toutes sortes, une
dizaine de voitures rangées derrière le bâtiment.

« Je vous attends ?

— Je ne sais pas encore. »

La première personne qu'il rencontra fut une
femme tout en blanc qui courait et qui faillit lui
tomber dans les bras. Elle portait des fleurs
d'oranger sur la tête. Un jeune homme en costume de bain la poursuivait. Tous deux riaient.

D'autres assistaient à la scène, du perron de
l'auberge.

« N'abîme pas la mariée !... criait quelqu'un.

— Attends au moins la noce ! »

La mariée s'arrêtait, essoufflée, et Maigret
reconnaissait la dame de l'avenue Niel, celle qui,
deux fois par semaine, pénétrait avec M. Basso
dans la maison meublée.

Dans un bachot peint en vert, un homme

rangeait des engins de pêche, le front plissé,
comme s'il se fût livré à un travail délicat et
pénible.

« Cinq Pernod, cinq ! »

Un jeune homme sortait de l'auberge, du blanc
gras et des fards sur le visage. Il s'était fait la tête
d'un paysan boutonneux et hilare.

« Est-ce réussi ?

— Tu aurais dû avoir les cheveux roux ! »

Une auto arrivait. Des gens en descendaient,
qui étaient déjà habillés pour la noce villageoise.
Une femme portait une robe de soie puce qui
traînait par terre. Son mari avait mis la chaîne
d'un bachot en guise de chaîne de montre sur son
abdomen arrondi par un coussin glissé sous le
gilet.

Les rayons du soleil devenaient rouges. C'est à
peine si le feuillage des arbres frémissait. Un
canoë coulait au fil de l'eau et son passager, demi-
nu, couché à l'arrière, se contentait de le diriger
d'une pagaie nonchalante.

« A quelle heure viennent les chars à bancs ? »

Maigret ne savait trop où se mettre.

« Les Basso sont arrivés ?

— Ils nous ont doublés sur la route ! »

Soudain quelqu'un vint se camper devant Maigret, un homme d'une trentaine d'années, déjà
presque chauve, au visage de clown. Une flamme
malicieuse pétillait dans ses yeux. Et il lança avec
un accent anglais prononcé :

« Voilà un copain pour faire le notaire ! »

Il n'était pas tout à fait ivre. Il n'était pas tout à fait sain non plus. Les rayons du soleil couchant empourpraient son visage dont les prunelles étaient plus bleues que la rivière.

« Tu fais le notaire, pas vrai ? reprit-il avec une familiarité d'ivrogne. Mais si, mon vieux, on rigolera ! »

Et il ajouta en prenant Maigret sous le bras :

« Viens boire un Pernod. »

Tout le monde riait. Une femme fit à mi-voix :

« Il va fort, James ! »

Mais l'autre, imperturbable, entraînait Maigret vers le Vieux-Garçon, commandait :

« Deux grands *per !...* »

Et il rit lui-même de cette boutade hebdomadaire, pendant qu'on leur servait deux verres pleins jusqu'au bord.

2

LE MARI DE LA DAME

QUAND on arriva en face de la guinguette à
deux sous, Maigret n'avait pas encore son « tour
de clef », comme il disait volontiers. Il avait suivi
M. Basso sans trop de confiance. Au Vieux-
Garçon, il avait regardé d'un œil morne les gens
qui s'agitaient. Mais il n'avait pas ressenti ce petit
pincement, ce décalage, ce tour de clef enfin, qui
le plongeait dans l'atmosphère d'une affaire.

Tandis que James le forçait à trinquer avec lui,
il avait vu des clients aller et venir, essayer des
vêtements saugrenus, s'aider les uns les autres,
pouffer, crier. Les Basso étaient arrivés et leur
fils, à qui l'on avait fait une tête de petit idiot de
campagne, aux cheveux couleur de carotte, avait
soulevé l'enthousiasme.

« Laisse-les faire ! disait James chaque fois que
Maigret se tournait vers la bande. Ils rigolent et ils
ne sont même pas soûls... »

Deux chars à bancs s'étaient arrêtés. Encore des
cris. Encore des rires et des bousculades. Maigret
y avait pris place, près de James, tandis que les

patrons du Vieux-Garçon et tout le personnel
étaient rangés sur la terrasse pour assister au
départ.

Au soleil avait succédé un crépuscule bleuté.
On voyait, de l'autre côté de la Seine, de quiètes
villas dont les fenêtres éclairées scintillaient dans
la pénombre.

Les chars à bancs roulaient cahin-caha. Le
regard du commissaire cueillait en quelque sorte
des images autour de lui : le cocher qu'on taqui-
nait et qui riait avec l'air de vouloir mordre ; une
jeune fille qui avait réussi à se maquiller en
Bécassine et qui s'efforçait de prendre un accent
paysan ; un monsieur à cheveux gris qui portait
une robe de grand-mère...

C'était confus, trop mouvant, trop inattendu
aussi. C'est à peine si Maigret pouvait deviner à
quel monde chacun appartenait. Il y avait toute
une mise au point nécessaire.

« Celle-là, là-bas, c'est ma femme... », annonça
James en désignant la plus grassouillette des
femmes, qui portait des manches à gigot.

Et il disait cela d'une voix morne, avec une
petite flamme dans les yeux.

On chanta. On traversa Seine-Port et les gens
vinrent sur les seuils pour assister au défilé. Des
gamins coururent longtemps derrière les chars en
hurlant d'enthousiasme.

Les chevaux se mirent au pas. On traversait un
pont. Quelque part une enseigne était visible dans
le clair-obscur :

Eugène Rougier — Débitant

La maison était toute petite, toute blanche, serrée entre le chemin de halage et la colline. Les caractères de l'enseigne étaient naïfs. A mesure que l'on approchait, on percevait des ritournelles de musique, entrecoupées de grincements.

Qu'est-ce qui provoqua le tour de clef ? Maigret eût été bien en peine de le dire. Peut-être la mollesse du soir, la petite maison blanche avec ses deux fenêtres lumineuses et le contraste avec cette invasion carnavalesque ?

Peut-être le couple qui s'avançait pour regarder la « noce » ? Lui, un jeune ouvrier d'usine. Elle, une belle fille vêtue de soie rose, les mains aux hanches… ?

La maison n'avait que deux pièces. Dans celle de droite, une vieille femme s'agitait autour de son fourneau. Dans celle de gauche, on devinait un lit, des portraits de famille.

Le bistrot était derrière. C'était un grand hangar dont tout un côté était ouvert sur le jardin. Des tables et des bancs. Un comptoir. Un piano mécanique et des lampions.

Des mariniers buvaient, au comptoir. Une fillette d'une douzaine d'années surveillait le piano mécanique qu'elle remontait de temps en temps et glissait deux sous dans la fente.

***

Tout cela s'anima très vite. A peine descendus des chars à bancs, les nouveaux venus dansaient, bousculaient les tables, réclamaient à boire. Maigret, qui avait perdu James de vue le retrouva au comptoir, rêveur devant un Pernod.

Dehors, sous les arbres, un garçon dressait les couverts. Et le conducteur d'un char soupirait :

« Pourvu qu'ils ne nous tiennent pas trop tard ! Un samedi !... »

Maigret était seul. Il fit lentement un tour complet sur lui-même. Il vit la petite maison qui fumait, les chars, le hangar, le couple d'amoureux, la foule travestie.

« C'est cela ! » grommela-t-il.

La guinguette à deux sous ! Une allusion à la pauvreté du lieu, ou encore aux deux sous qu'il fallait mettre dans le piano pour avoir de la musique.

Et c'était là qu'il y avait un assassin ! Peut-être quelqu'un de la noce ! Peut-être le jeune ouvrier ! Peut-être un marinier !...

Ou James ! Ou M. Basso ?...

Il n'y avait pas d'électricité. Le hangar était éclairé par deux lampes à pétrole et d'autres étaient posées sur les tables, dans le jardin, si bien que le décor était partagé en taches d'ombre et de lumière.

« A table !... On mange !... »

Mais on dansait toujours. On buvait. Les yeux s'animaient. Quelques personnes durent prendre

plusieurs apéritifs coup sur coup car, en moins
d'un quart d'heure, il y eut de l'ivresse dans l'air.

La vieille femme du bistrot servait elle-même à
table, s'inquiétait du succès de ses plats — du
saucisson, une omelette et un lapin! — mais
personne n'y prenait garde. On mangeait sans
même s'en rendre compte. Et toutes les voix
réclamaient à boire.

Un charivari confus, couvrant la musique. Les
mariniers, du comptoir, contemplaient la scène en
continuant leur conversation lente sur les canaux
du Nord et le halage électrique.

Les jeunes amoureux dansaient, joue à joue ;
mais leurs regards ne quittaient pas les tables où
l'on s'amusait.

Maigret ne connaissait personne. Il avait à côté
de lui une femme qui s'était fait une tête ridicule,
moustachue, piquée de grains de beauté multiples, et qui l'appelait sans cesse l'oncle Arthur.

« Passe-moi le sel, oncle Arthur...

— Alors, et ton viau, oncle Arthur ?... »

On se tutoyait. On se donnait de grands coups
de coude. Est-ce que ces gens-là se connaissaient
très bien entre eux ? Est-ce que ce n'étaient que
des compagnons de hasard ?

Et que pouvait bien faire dans la vie, par
exemple, le bonhomme à cheveux gris habillé en
vieille femme ?

Et cette dame vêtue en petite fille qui adoptait
une voie de fausset ?

Des bourgeois, comme les Basso ? Marcel Basso

était à côté de la mariée. Il ne la chahutait pas. De temps en temps, seulement, il avait un regard entendu qui devait signifier :

« Ce qu'on était bien, après midi ! »

Avenue Niel, dans la garçonnière meublée ! Est-ce que le mari était ici aussi ?

Quelqu'un fit partir des pétards. Un feu de Bengale s'alluma dans le jardin et le couple d'ouvriers le regarda tendrement, la main dans la main.

« On dirait un décor de théâtre... », dit la belle fille en rose.

Et il y avait un assassin !

« Un discours ! Un discours ! Un discours ! »

Ce fut M. Basso qui se leva, un sourire ravi aux lèvres, qui toussa, feignit l'embarras, commença un discours saugrenu que hachaient les applaudissements.

A certain moment, son regard s'arrêta sur Maigret. C'était le seul visage grave autour de la table. Et le commissaire sentit une gêne chez l'homme qui détourna la tête.

Mais deux fois, trois fois le regard revint vers lui, interrogateur, ennuyé.

« ... et vous répéterez tous avec moi : Vive la mariée !...

— Vive la mariée ! »

On se levait. On embrassait la mariée. On dansait. On entrechoquait les verres. Maigret vit M. Basso qui s'approchait de James et lui posait une question. Sans doute :

« Qui est-ce ? »

Il entendit la réponse :

« Je ne sais pas... Un copain !... Un chic type !... »

Les tables étaient abandonnées. Tout le monde dansait dans le hangar et des gens venus on ne savait d'où restaient dans la nuit, à peine distincts des troncs d'arbre, à contempler ceux qui s'amusaient.

Les bouchons de mousseux sautèrent.

« Viens boire une fine ! dit James. Je suppose que tu ne danses pas... »

Drôle de garçon ! Il avait bu déjà de quoi enivrer quatre ou cinq hommes normaux. Et il n'était pas ivre à proprement parler. Il se traînait, saumâtre, d'une démarche flegmatique. Il fit entrer Maigret dans la maison. Il s'installa dans le fauteuil Voltaire du patron.

Une grand-mère toute cassée lavait la vaisselle tandis que la patronne, qui devait être sa fille et qui n'avait pas loin de cinquante ans, s'affairait.

« Eugène !... Encore six bouteilles de mousseux... Tu ferais peut-être bien de demander au cocher d'aller en chercher à Corbeil. »

Un petit intérieur de campagne, très pauvre. Une horloge à balancier, dans une caisse de noyer sculpté. Et James allongeait les jambes, saisissait la bouteille de fine qu'il avait commandée, en servait deux pleins verres.

« A ta santé !... »

On ne voyait plus rien de la noce. On entendait

seulement une rumeur qui couvrait la musique. Par la porte ouverte, on devinait la surface fuyante de la Seine.

« Des trucs pour s'embrasser dans les coins, et tout le reste ! » dit James avec mépris.

Il avait trente ans. Mais on sentait bien qu'il n'était pas l'homme à embrasser les femmes dans les coins.

« Je parie qu'il y en a déjà dans le fond du jardin... »

Il observait la grand-mère pliée en deux au-dessus de son bassin à vaisselle.

« Donne-moi un torchon, tiens ! » lui dit-il.

Et il se mit en devoir d'essuyer les verres et les assiettes, en ne s'interrompant que pour avaler de temps en temps une gorgée de cognac.

Parfois quelqu'un passait devant la porte. Maigret profita d'un moment où James parlait à la vieille pour s'esquiver. Il n'avait pas fait dix pas dehors que quelqu'un lui demandait du feu. L'homme à cheveux gris, habillé en femme.

« Merci !... Vous ne dansez pas non plus ?

— Jamais !

— Ce n'est pas comme ma femme. Elle n'a pas encore raté une danse... »

Maigret eut une intuition.

« La mariée ?

— Oui... Et tout à l'heure, quand elle restera tranquille, elle va prendre froid... »

Il soupira. Il était grotesque, avec son visage grave d'homme de cinquante ans et sa robe de vieille. Le commissaire se demanda ce qu'il pouvait bien faire dans la vie, quel était son aspect habituel.

« Il me semble que je vous ai déjà rencontré quelque part... dit-il à tout hasard.

— J'ai la même impression... Nous nous sommes déjà vus... Mais où ?... A moins que vous ne soyez client de ma chemiserie...

— Vous êtes chemisier ?

— Sur les Grands Boulevards... »

Sa femme était maintenant la plus bruyante de tous. Son ivresse était évidente. Elle se marquait par une exubérance inouïe. Elle dansait avec Basso, tellement rivée à lui que Maigret détourna la tête.

« Une drôle de petite fille », soupira le mari.

Une petite fille ! Cette femme de trente ans bien en chair, aux lèvres sensuelles, au regard allumé, qui semblait s'offrir toute à son cavalier !

« Quand elle s'amuse, elle devient comme folle... »

Le commissaire regarda son compagnon, ne put deviner si celui-ci était furieux ou attendri.

Au même instant, quelqu'un criait :

« On couche la mariée !... En place pour le coucher de la mariée !... Où est le marié ?... »

Il y avait un petit réduit au fond du hangar. On en ouvrit la porte. Quelqu'un alla chercher le marié au fond du jardin.

Maigret, lui, observait le vrai mari, qui souriait.

« D'abord la jarretelle-souvenir ! »

Ce fut M. Basso qui enleva la jarretelle, la découpa en petits morceaux qu'il distribua. On poussa marié et mariée dans le réduit, dont on ferma la porte à clef.

« Elle s'amuse... murmura le compagnon de Maigret. Vous êtes marié aussi ?

— Heu !... Oui...

— Votre femme n'est pas ici ?

— Non... Elle est en vacances...

— Elle aime la jeunesse aussi ?... »

Et Maigret se demandait si l'autre se payait sa tête ou parlait sérieusement. Il profita d'un moment d'inattention, pénétra dans le jardin, passa près du couple d'ouvriers collé à un arbre

Dans la cuisine, James parlait avec la vieille, gentiment, sans cesser d'essuyer les verres, ni d'en vider.

« Qu'est-ce qu'ils f... ? demanda-t-il à Maigret Vous n'avez pas vu ma femme ?

— Je ne l'ai pas remarquée.

— Pas faute qu'elle soit assez grosse ! »

Cela se précipita. Il pouvait être une heure du matin. Des gens parlaient à voix basse de partir. Quelqu'un était malade, au bord de la Seine. La mariée avait recouvré sa liberté. Il n'y avait que les plus jeunes à danser encore.

Le cocher du char vint trouver James.

« Vous croyez que ce sera encore long ?... J'ai la bourgeoise qui m'attend depuis une heure et...

— T'as une femme aussi ? »

Et James donna le signal du départ. Sur les

banquettes, les uns s'endormaient à moitié en
dodelinant de la tête, d'autres continuaient à
chanter et à rire avec plus ou moins de conviction.

On passa près d'un groupe de péniches endor-
mies. Un train siffla. Sur le pont, on ralentit.

Les Basso descendirent en face de leur villa. Le
chemisier avait déjà quitté le groupe à Seine-Port.
Une femme disait à mi-voix à son mari qui était
ivre :

« ... Je te le dirai demain, ce que tu as fait !...
Tais-toi !... Je ne t'écoute même pas !... »

Le ciel était criblé d'étoiles que l'eau du fleuve
reflétait. Au Vieux-Garçon, tout dormait. Poi-
gnées de main.

« Tu fais de la voile ?

— Nous allons au brochet...

— Bonne nuit... »

Un rang de chambres. Maigret demanda à
James :

« Il y en a une pour moi ?

— N'importe laquelle !... Du moment que t'en
trouves une vide... Sinon, tu n'as qu'à venir chez
moi... »

Quelques fenêtres s'allumèrent. Des souliers
tombèrent sur le plancher. Des bruits de
sommier.

Un couple qui chuchotait éperdument, dans
une des chambres. Peut-être la femme qui avait
quelque chose à dire à son mari ?

***

Maintenant, ils avaient tous leur vrai visage. Il était onze heures du matin. La journée était chaude, ensoleillée. Les serveuses en noir et blanc allaient d'une table à l'autre, sur la terrasse, pour dresser les couverts.

Et les gens se groupaient, quelques-uns encore en pyjama, d'autres en costume de matelot, d'autres encore en pantalon de flanelle.

« Gueule de bois ?

— Pas trop... Et toi ?... »

Certains étaient déjà partis à la pêche, ou en revenaient. Il y avait aussi de petits voiliers, des canoës.

Le chemisier portait un complet gris bien coupé et l'on sentait le monsieur soigné, qui déteste se montrer en toilette négligée. Il aperçut Maigret, s'en approcha.

« Vous permettez que je me présente : M. Feinstein... Hier, je vous ai parlé de ma chemiserie... Comme chemisier, je m'appelle Marcel...

— Vous avez bien dormi ?

— Pas du tout ! Comme je m'y attendais, ma femme a été malade... C'est chaque fois la même chose... Elle sait très bien qu'elle n'a pas le cœur solide... »

Pourquoi son regard semblait-il guetter les impressions de Maigret ?

« Vous ne l'avez pas vue, ce matin ? »

Et il cherchait sa femme alentour. Il l'aperçut

sur un bateau à voiles où ils étaient quatre ou cinq en costume de bain, et que pilotait M. Basso.

« Vous n'étiez jamais venu à Morsang ?... C'est très agréable ! Vous verrez que vous reviendrez... On est entre soi... Rien que des habitués, des amis... Vous aimez le bridge ?...

— Heu !...

— On en fera un tout à l'heure... Vous connaissez M. Basso ?... Un des plus gros marchands de charbon de Paris... Un charmant garçon !... C'est son voilier qui arrive... Mme Basso est enragée de sport.

— Et James ?...

— Il est déjà à boire, je parie ?... Il vit entre deux cuites... Tout jeune, pourtant !... il pourrait faire quelque chose... Il préfère se laisser vivre tranquillement... Il est employé dans une banque anglaise, place Vendôme... On lui a offert des tas de situations et il les a toutes refusées... Il tient à avoir fini sa journée à quatre heures et, dès ce moment, vous pourrez le voir dans les brasseries de la rue Royale...

— Ce grand jeune homme ?...

— Le fils d'un bijoutier...

— Et ce monsieur qui pêche, là-bas ?

— Un entrepreneur de plomberie... Le plus enragé pêcheur de Morsang... Il y en a qui bridgent... D'autres font du bateau... D'autres pêchent... Cela constitue une petite population charmante... Quelques-uns ont leur villa. »

On apercevait la toute petite maison blanche,

au premier tournant du fleuve, et l'on devinait le hangar au piano mécanique.

« Tout le monde fréquente la guinguette à deux sous ?

— Depuis deux ans... C'est James qui l'a en quelque sorte découverte... Auparavant, il n'y avait là-bas que quelques ouvriers de Corbeil qui venaient danser le dimanche... James a pris l'habitude, quand les autres étaient trop bruyants, d'aller y boire seul... Un jour la bande l'a rejoint... On a dansé... Et l'habitude a été prise... Au point que les anciens clients, dépaysés, ont peu à peu abandonné la guinguette... »

Une serveuse passait avec un plateau chargé d'apéritifs. Quelqu'un plongeait dans la rivière. Une odeur de friture s'échappait de la cuisine.

Et la cheminée fumait là-bas, à la guinguette. Un visage s'imposait à Maigret : des moustaches fines et brunes, des dents pointues, des narines qui frémissaient...

Jean Lenoir, marchant sans fin pour cacher son trouble, parlant, évoquant lui aussi la guinguette à deux sous.

« Si seulement on y allait en même temps que tous ceux qui le méritent... »

Pas à la guinguette ! Ailleurs, où il était allé tout seul, le lendemain matin, avant le réveil de Paris !

Et, sans savoir pourquoi, dans cette chaleur, Maigret eut froid, l'espace de quelques secondes. Il regarda avec d'autres yeux le chemisier tiré à quatre épingles, qui fumait une cigarette à bout doré. Puis il vit le bateau des Basso qui accostait, les gens demi-nus qui sautaient à terre, serraient la main des autres.

« Vous permettez que je vous présente à nos amis ? dit M. Feinstein. Monsieur... ?

— Maigret, fonctionnaire... »

Cela se fit correctement, avec des inclinations du buste, des « enchanté », des « tout le plaisir est pour moi »...

« Vous étiez avec nous hier au soir, n'est-ce pas ?... Une petite plaisanterie assez réussie... Vous faites le bridge, cet après-midi ? »

Un jeune homme maigre s'était approché de M. Feinstein, l'entraînait à l'écart, lui disait quelques mots à voix basse. Ce manège n'avait pas échappé à Maigret qui vit le chemisier se renfrogner, manifester un sentiment qui ressemblait à de la peur, l'observer des pieds à la tête et reprendre enfin son attitude normale.

Le groupe se rapprochait de la terrasse, cherchait une table.

« Un petit Pernod général ?... Tiens ! où est James ?... »

M. Feinstein était nerveux, en dépit de l'effort qu'il faisait sur lui-même. Il ne s'occupait que de Maigret.

« Qu'est-ce que vous prenez ?

— Cela m'est tout à fait égal...

— Vous... »

Il n'acheva pas la phrase commencée et feignit

de regarder ailleurs. Un peu plus tard, il murmura néanmoins :

« C'est drôle que le hasard vous ait conduit à Morsang...

— Oui, c'est bizarre... » approuva le commissaire.

On servait à boire. Plusieurs personnes parlaient à la fois. Le pied de Mme Feinstein était posé sur celui de M. Basso et elle le fixait de ses yeux brillants.

« Une belle journée !... Dommage que les eaux soient trop claires pour la pêche... »

L'air était écœurant à force d'être calme et Maigret se souvint d'un rayon de soleil pénétrant, très haut, dans une cellule blanche.

Lenoir qui marchait, marchait, marchait comme pour oublier qu'il ne marcherait plus longtemps.

Et le regard de Maigret se posait tour à tour, lourdement, sur chaque visage, sur celui de M. Basso, sur celui du chemisier, de l'entrepreneur, de James qui arrivait, des jeunes gens et des femmes...

Il essayait d'imaginer tour à tour chacun de ces êtres, la nuit, le long du canal Saint-Martin, poussant un cadavre « comme un mannequin qu'on voudrait faire marcher... »

« A votre santé ! » lui dit M. Feinstein avec un long sourire.

3

LES DEUX CANOTS

Maigret avait déjeuné tout seul, à la terrasse du Vieux-Garçon. Mais autour de lui, les tables étaient occupées par les habitués et la conversation était générale.

Il était fixé, maintenant, sur le milieu social auquel appartenaient ses voisins : des commerçants, de petits industriels, un ingénieur, deux médecins. Des gens ayant leur voiture, mais ne disposant que du dimanche pour s'ébattre à la campagne.

Tous avaient un canot, soit à moteur, soit à voile. Tous étaient pêcheurs plus ou moins passionnés.

Ils vivaient là vingt-quatre heures par semaine, en costume de toile à voile, pieds nus, ou chaussés de sabots, et quelques-uns affectaient la démarche chaloupée de vieux loups de mer.

Davantage de couples que de jeunes gens. Et, entre les groupes, une familiarité assez poussée de gens qui, depuis des années, ont l'habitude de se retrouver chaque dimanche.

James était le personnage populaire, le trait d'union entre tous, et il n'avait qu'à paraître, flegmatique, le teint brique, les yeux vagues, pour engendrer la bonne humeur.

« Gueule de bois, James ?

— D'abord, je n'ai jamais de gueule de bois ; Quand je sens que l'estomac est barbouillé, je bois aussitôt quelques Pernod... »

On évoqua surtout des souvenirs de la nuit. On riait de quelqu'un qui avait été malade, d'un autre qui avait failli tomber dans la Seine en rentrant.

Maigret faisait partie du groupe sans en faire partie. Il était là, près de ses compagnons de la veille. Au cours de la beuverie, on l'avait tutoyé. Maintenant, on l'observait parfois à la dérobée. Ou bien on lui adressait une phrase ou deux, par politesse.

« Vous êtes pêcheur aussi ? »

Les Basso déjeunaient chez eux. Les Feinstein aussi, et d'autres qui avaient leur villa. Ce qui créait déjà deux classes dans le groupe : les gens à villa et les clients de l'auberge.

Vers deux heures, ce fut le chemisier qui vint chercher Maigret, comme s'il le prenait sous sa protection personnelle.

« On vous attend pour le bridge.

— Chez vous ?

— Chez Basso ! Ce dimanche-ci, on devait jouer chez moi, mais la bonne est malade et on sera mieux chez Basso... Tu viens, James ?

— Je monterai à la voile... »

La villa des Basso était un kilomètre plus haut. Maigret et Feinstein y allèrent à pied, tandis que la plupart des invités s'y rendaient soit en youyou, soit en canoë, soit en voilier.

« Un charmant garçon, ce Basso, n'est-ce pas ? »

Maigret ne put savoir si son interlocuteur persiflait ou s'il parlait sérieusement.

Un drôle de bonhomme, vraiment, ni figue ni raisin, ni jeune ni vieux, ni beau ni laid, qui était peut-être vide de pensées, mais peut-être aussi bourré de secrets.

« Je suppose que dorénavant vous serez des nôtres tous les dimanches ? »

On rencontrait des groupes de gens qui pique-niquaient, ainsi que des pêcheurs à la ligne plantés de cent en cent mètres sur la berge. La chaleur allait croissant. L'air était d'un calme extraordinaire, presque inquiétant.

Dans le jardin des Basso, des guêpes bourdonnaient autour des fleurs. Il y avait déjà trois automobiles. Le gamin s'ébattait au bord de l'eau.

« Vous jouez au bridge ? demanda le marchand de charbon en tendant à Maigret une main cordiale. Parfait !... Dans ce cas, ce n'est pas nécessaire d'attendre James, qui n'arrivera jamais à remonter à la voile... »

Tout était neuf, pimpant. Un cottage construit comme un jouet. Une décoration fantaisiste, avec profusion de rideaux à petits carreaux rouges, de

vieux meubles normands, de poteries campagnar-
des.

La table de jeu était dressée dans une pièce de
plain-pied qui communiquait avec le jardin par
une grande baie vitrée. Des bouteilles de vouvray
trempaient dans un seau à champagne tout
embué. Un plateau était chargé de liqueurs. Et
Mme Basso, en tenue de marin, faisait les hon-
neurs.

« Fine, quetsche, mirabelle ?... A moins que
vous préfériez le vouvray ?... »

De vagues présentations aux autres joueurs, qui
n'appartenaient pas tous à la bande de la nuit
précédente, mais qui étaient des amis du dimanche.

« Monsieur... hum !...

— Maigret !

— Monsieur Maigret, qui joue au bridge... »

C'était presque un décor d'opérette, tant les
couleurs étaient vives, pimpantes. Rien qui fît
penser que la vie est une chose sérieuse. Le gamin
était monté dans une périssoire peinte en blanc et
sa mère lui criait :

« Attention, Pierrot !

— Je vais à la rencontre de James !

— Un cigare, monsieur Maigret ?... Si vous
aimez mieux la pipe, il y a du tabac dans ce pot...
Ne craignez rien ! ma femme est habituée... »

Juste en face, on voyait, sur l'autre rive, la
petite maison de la guinguette à deux sous.

Et la première partie de l'après-midi fut sans

histoire. Maigret nota pourtant que M. Basso ne
jouait pas et qu'il paraissait un peu plus nerveux
que le matin.

Son aspect était tout le contraire de celui d'un
homme nerveux. Il était grand et fort, et surtout il
respirait la vie par tous les pores de la peau. Un
homme exubérant, un peu brutal, fait d'une pâte
plébéienne.

M. Feinstein, lui, jouait avec tout le sérieux
d'un véritable amateur de bridge et Maigret se fit
plusieurs fois rappeler à l'ordre.

Vers trois heures, la bande de Morsang envahit
le jardin, puis la pièce où l'on jouait. Quelqu'un
mit le phonographe en marche. Mme Basso servit
du vouvray, et un quart d'heure plus tard une
demi-douzaine de couples dansaient autour des
bridgeurs.

C'est à ce moment que M. Feinstein, tout
accaparé par le jeu qu'il était en apparence,
murmura :

« Tiens ! Où est passé notre ami Basso ?

— Je crois qu'il vient de monter dans un
canot ! » dit quelqu'un.

Maigret suivit le regard du chemisier, aperçut
un canot qui accostait précisément à la rive d'en
face, près de la guinguette à deux sous. M. Basso
en sortait, se dirigeait vers la guinguette, revenait
un peu plus tard, préoccupé en dépit de la fausse
bonne humeur qu'il affichait.

Un autre incident, qui passa inaperçu.
M. Feinstein gagnait. Mme Feinstein dansait avec

Basso qui venait de rentrer. Et James, un verre de vouvray à la main, plaisantait :

« Il y en a qui sont incapables de perdre, même s'ils le voulaient !... »

Le chemisier ne broncha pas. Il donnait les cartes. Maigret observait ses mains et il les trouva calmes comme d'habitude.

Une heure, deux heures s'écoulèrent de la sorte. Les danseurs commençaient à en avoir assez. Quelques invités s'étaient baignés. James, qui avait perdu aux cartes, se leva en grommelant :

« On change de crémerie !... Qui est-ce qui vient à la guinguette à deux sous ?... »

Le hasard lui fit happer Maigret au passage.

« Viens avec moi, toi ! »

Il avait atteint le degré d'ivresse qu'il ne dépassait jamais, même s'il continuait à boire. Les autres se levaient à leur tour. Un jeune homme criait, les mains en porte-voix :

« Tout le monde à la guinguette !

— Attention de ne pas tomber... »

James aidait le commissaire à monter dans son voilier de six mètres, poussait le bateau d'un coup de gaffe, s'asseyait dans le fond.

Mais il n'y avait pas un souffle de vent. La voile battait. C'est à peine si l'embarcation tenait tête au courant, pourtant peu sensible.

« On n'est pas pressés, hein ! »

Maigret remarqua que Marcel Basso et Feinstein montaient tous les deux dans le même canot à

moteur, traversaient la rivière en quelques instants, débarquaient en face de la guinguette.

Puis venaient des bachots, des canoës. Parti le
premier, le bateau de James restait bon dernier,
faute de vent, et l'Anglais ne paraissait pas disposé
à se servir des avirons.

« Ce sont de bons types !... murmura soudain
James, comme s'il suivait sa pensée.

— Qui ?

— Tous ! Ils s'embêtent ! Ils n'en peuvent
rien ! Tout le monde s'embête, dans la vie... »

C'était cocasse, parce qu'il avait une mine béate
au fond de son bateau et que le soleil polissait son
crâne dénudé.

« C'est vrai que t'es dans la police ?

— Qui a dit cela ?

— Je ne sais pas... J'en ai entendu parler tout à
l'heure... Bah ! c'est un métier comme un
autre... »

Et James bordait sa voile qu'une risée gonflait
légèrement. Il était six heures. On entendait
sonner la cloche de Morsang, à laquelle celle de
Seine-Port répondait. La rive était encombrée par
des roseaux fourmillant d'insectes. Et le soleil
commençait à devenir rougeâtre.

« Qu'est-ce que tu... »

James parlait. Mais il y eut un bruit sec qui
coupa sa phrase net tandis que Maigret se levait
d'un bond, menaçait de faire chavirer l'embarcation.

« Attention !... » lui cria son compagnon.

Et il se pencha sur l'autre bord, saisit un aviron, se mit en devoir de godiller, les sourcils froncés, les prunelles inquiètes.

« La chasse n'est pourtant pas ouverte...

— C'est derrière la guinguette ! » dit Maigret.

En approchant de celle-ci, on entendit le vacarme du piano mécanique et une voix angoissée qui criait :

« Arrêtez la musique !... Arrêtez la musique ! »

On courait. Un couple dansait encore, s'arrêta beaucoup plus tard que le piano. La vieille grand-mère sortait de la maison, un seau à la main, restait immobile à essayer de deviner ce qui se passait.

L'accostage fut difficile, à cause des roseaux. Maigret, en se précipitant, mit une jambe dans l'eau jusqu'au genou. James le suivait de sa démarche molle en grommelant des choses inintelligibles.

Il suffisait de suivre les gens qu'on voyait s'arrêter derrière le hangar servant de salle de danse. Le hangar contourné, on apercevait un homme qui regardait la foule de ses gros yeux troubles et qui bégayait obstinément :

« Ce n'est pas moi !... »

L'homme, c'était Basso. Il tenait à la main un petit revolver à crosse de nacre dont il semblait oublier l'existence.

« Où est ma femme ?... » questionna-t-il en regardant les assistants comme s'il ne les reconnaissait pas.

Les autres la cherchaient. Quelqu'un dit :

« Elle est restée là-bas pour préparer le dîner... »

Maigret dut atteindre le premier rang pour distinguer une forme étendue dans les hautes herbes, un complet gris, un chapeau de paille.

Ce n'était pas tragique du tout. C'était ridicule, de par la faute des spectateurs qui ne savaient pas ce qu'ils devaient faire. Ils restaient là, ahuris, hésitants, à regarder un Basso aussi ahuri et hésitant qu'eux.

Mieux : un des membres de la bande, qui était médecin, était tout près du corps étendu et n'osait pas se pencher. Il regardait les autres comme pour leur demander conseil.

De tragique, il y eut pourtant une toute petite chose. A certain moment, le corps bougea. Les jambes parurent chercher à s'arc-bouter. Les épaules esquissèrent un mouvement tournant. On aperçut une partie du visage de M. Feinstein.

Puis, toujours comme dans un grand effort, il se raidit et retomba lentement inerte.

Il venait seulement de mourir.

« Tâtez le cœur !... » dit Maigret, d'une voix sèche, au médecin.

Et le commissaire, qui avait l'habitude de ces sortes de drames, ne perdait rien du spectacle,

voyait tout à la fois, avec une netteté quasi
irréelle.

Il y avait quelqu'un d'écroulé dans les derniers
rangs, quelqu'un qui poussait des hurlements
aigus : c'était Mme Feinstein arrivée la dernière,
parce qu'elle avait dansé la dernière. Des gens
étaient penchés sur elle. Le patron de la guinguette s'approchait avec la mine soucieuse d'un
paysan méfiant.

M. Basso, lui, respirait par saccades, bombait
la poitrine pour la remplir d'air, apercevait soudain le revolver dans sa main crispée.

Il était abruti. Il regarda tour à tour les gens
autour de lui, comme s'il se demandait à qui il
devait tendre l'arme. Il répéta :

« Ce n'est pas moi... »

Il cherchait toujours sa femme des yeux, malgré
la réponse qu'on lui avait faite.

« Mort !... déclara le médecin en se redressant.

— Une balle ?

— Ici... »

Et le docteur montra le défaut des côtes,
chercha lui aussi sa femme qui n'était vêtue que
d'un costume de bain.

« Vous avez le téléphone ? demanda Maigret au
patron de la guinguette.

— Non... Il faut aller à la gare... ou à
l'écluse... »

Marcel Basso était vêtu d'un pantalon de flanelle blanche, d'une chemise ouverte sur la poitrine, qui mettait en valeur la largeur de son torse.

Or, on le vit osciller imperceptiblement, esquisser un geste comme pour chercher un appui et soudain s'asseoir dans l'herbe, à moins de trois mètres du cadavre, et se prendre la tête dans les mains.

La note comique ne manqua pas. Une voix de femme, toute fluette, fit dans le groupe :

« Il pleure !... »

Elle croyait parler bas. Tout le monde l'entendit.

« Vous avez un vélo ? demanda encore Maigret au patron.

— Pour sûr.

— Eh bien, allez à l'écluse avertir la gendarmerie...

— Celle de Corbeil ou celle de Cesson ?

— Peu importe ! »

Et Maigret examina Basso d'un air ennuyé, ramassa le revolver, dans le barillet duquel il ne manquait qu'une balle.

Un revolver de dame, joli comme un bijou. Et des balles minuscules, qu'on eût dit nickelées. Une seule avait suffi, pourtant, à couper le fil de la vie chez le chemisier !

C'est à peine s'il avait saigné. Une tache roussâtre sur son complet d'été. Il restait propre, tiré à quatre épingles comme d'habitude.

« Mado a une crise, dans la maison !... » vint annoncer un jeune homme.

Mado, c'était Mme Feinstein, qu'on avait étendue sur le lit très haut des tenanciers. Tout le

monde épiait Maigret. Il y eut un froid quand une
voix, au bord de la rivière, lança :

« Coucou !... Où êtes-vous ?... »

C'était Pierrot, le fils de Basso, qui abordait en
périssoire et qui cherchait la bande.

« Allez vite !... Qu'on l'empêche d'approcher... »

Marcel Basso se remettait. Il découvrait son
visage, se redressait, confus de sa faiblesse d'un
instant, semblait à nouveau chercher la personne à
qui il devait s'adresser.

« J'appartiens à la Police Judiciaire ! lui dit
Maigret.

— Vous savez... ce n'est pas moi !...

— Voulez-vous me suivre un moment ? »

Le commissaire s'adressa au médecin :

« Je compte sur vous pour empêcher qu'on
touche au corps ! Et je vous demande à tous de
nous laisser, M. Basso et moi... »

Tout cela avait traîné comme une scène mal
réglée dans l'atmosphère lourde, radieuse.

Des pêcheurs à la ligne passaient sur le chemin
de halage, le panier de poissons sur le dos. Basso
marchait à côté de Maigret.

« C'est quelque chose d'inouï !... »

Il était sans vigueur, sans ressort. Dès qu'on
avait contourné le hangar, on apercevait la rivière,
la villa, sur l'autre rive, et Mme Basso qui rangeait
les fauteuils d'osier abandonnés dans le jardin.

« Maman demande la clef de la cave ! » cria le
gamin, de sa périssoire.

Mais l'homme ne répondit rien. Son regard changeait, devenait celui d'une bête traquée.

« Dites-lui où est cette clef. »

Il fit un grand effort pour clamer :

« Au crochet du garage !

— Comment ?

— Au crochet du garage ! »

Et l'on percevait vaguement l'écho :

« ... rage !...

— Que s'est-il passé entre vous ? questionna Maigret en pénétrant dans le hangar au piano mécanique, où il n'y avait plus que des verres sur les tables.

— Je ne sais pas...

— A qui appartient le revolver ?

— Pas à moi !... Le mien est toujours dans ma voiture...

— Feinstein vous a attaqué ? »

Un long silence. Un soupir.

« Je ne sais pas ! Je n'ai rien fait !... Surtout..., surtout je jure que je ne l'ai pas tué...

— Vous aviez l'arme à la main quand...

— Oui... Je ne sais pas comment cela s'est fait...

— Vous prétendez que c'est un autre qui a tiré ?

— Non..., je..., vous ne pouvez pas vous figurer comme c'est terrible...

— Feinstein s'est suicidé ?

— Il a... »

Il s'assit sur un banc, se prit une fois de plus la

tête à deux mains. Et, comme un verre traînait sur la table, il le saisit, avala d'un trait son contenu, fit la grimace.

Que va-t-il arriver ?... Vous m'arrêtez ?... »

Et, regardant fixement Maigret, le front plissé :

« Mais..., comment étiez-vous justement là ?... Vous ne pouviez pourtant pas savoir... »

Il semblait s'efforcer de comprendre, de nouer ensemble des lambeaux d'idées. Il grimaçait.

« On dirait un piège qui... »

La périssoire blanche revenait vers la berge après avoir touché l'autre rive.

« Papa !... La clef n'est pas au garage !... Maman demande... »

Machinalement, Basso tâta ses poches. Du métal cliqueta. Il retira un trousseau de clefs qu'il posa sur la table. Et ce fut Maigret qui traversa le chemin de halage, cria au gosse :

« Attention !... Attrape !...

— Merci, m'sieu ! »

Et la périssoire s'éloigna. Mme Basso, dans le jardin, dressait la table pour le dîner, avec la servante. Des canoës rentraient au Vieux-Garçon. Le débitant revenait en vélo de l'écluse où il était allé téléphoner.

« Vous êtes sûr que ce n'est pas vous qui avez tiré ? »

L'autre haussa les épaules, soupira, ne répondit pas.

La périssoire abordait l'autre rive. On devinait la conversation entre la mère et le fils. Un ordre fut donné à la servante, qui entra dans la maison pour en sortir presque aussitôt.

Et Mme Basso, lui prenant les jumelles des mains, les braqua sur la guinguette à deux sous.

James était assis dans un coin, chez les débitants, et se versait de grands verres de cognac en caressant le chat qui s'était blotti sur ses genoux.

4

LES RENDEZ-VOUS RUE ROYALE

Ce fut une semaine maussade, éreintante, toute remplie de tâches sans attrait, de petits déboires, de démarches délicates, dans un Paris torride dont un orage, chaque soir vers les six heures, transformait les rues en rivières.

Mme Maigret était toujours en vacances, écrivait : « *... le temps est magnifique et jamais les prunelles n'ont été si belles... »*

Maigret n'aimait pas rester à Paris sans sa femme. Il mangeait, sans appétit, dans le premier restaurant venu, et il lui arriva de coucher à l'hôtel pour ne pas rentrer chez lui.

L'histoire avait commencé par un chapeau haut de forme que Basso essayait dans le magasin ensoleillé du boulevard Saint-Michel. Un rendez-vous avenue Niel, dans une garçonnière. Une noce le soir, à la guinguette à deux sous. Une partie de bridge et le drame inattendu...

Quand les gendarmes étaient arrivés, là-bas, sur les lieux, Maigret, qui n'était pas en mission officielle, leur avait laissé prendre leurs responsa-

bilités. Ils avaient arrêté le marchand de charbon.
Le Parquet avait été avisé.

Une heure plus tard, Marcel Basso était assis
dans la petite gare de Seine-Port, entre deux
brigadiers. La foule du dimanche attendait le
train. Le brigadier de droite lui avait offert une
cigarette.

Les lampes étaient allumées. La nuit était
presque complète. Et voilà qu'au moment où le
train entrait en gare et où tout le monde se pressait
au bord du quai, Basso bousculait ses gardiens,
s'élançait à travers la foule, traversait la voie et
fonçait vers un bois proche !

Les gendarmes n'en croyaient pas leurs yeux.
Quelques instants auparavant il était si calme,
comme avachi, entre eux deux !

Maigret apprit cette fuite en arrivant à Paris. Et
ce fut une nuit désagréable pour tout le monde.
Aux environs de Morsang et de Seine-Port, la
gendarmerie battait les campagnes, barrait les
routes, surveillait les gares et questionnait tous les
chauffeurs d'autos. Le filet s'étendit sur presque
tout le département et les promeneurs dominicaux
s'étonnaient, en rentrant, des renforts de police
garnissant les portes de Paris.

En face de la maison des Basso, quai d'Austerlitz, deux hommes de la Police Judiciaire.
Deux hommes aussi devant l'immeuble où les
Feinstein avaient leur appartement privé, boulevard des Batignolles.

Le lundi matin, descente du Parquet à la guinguette à deux sous et Maigret dut y assister, discuter longuement avec les magistrats.

Lundi soir : rien ! Quasi-certitude que Basso était parvenu à passer à travers le filet et à se réfugier à Paris ou dans une ville des environs, comme Melun, Corbeil, Fontainebleau.

Mardi matin, rapport du médecin légiste : coup de feu tiré à une distance d'environ trente centimètres. Impossible de déterminer si le coup a été tiré par Feinstein lui-même ou par Basso.

Mme Feinstein reconnaît l'arme comme lui appartenant. Elle ignorait que son mari l'eût en poche. D'habitude, le revolver se trouvait, chargé, dans la chambre de la jeune femme.

Interrogatoire, boulevard des Batignolles. L'appartement est banal, sans luxe, très « petites gens ». Propreté douteuse. Une seule bonne à tout faire.

Mme Feinstein pleure ! Elle pleure ! Elle pleure ! C'est à peu près sa seule réponse, avec des :

« Si j'avais su !... »

Il n'y a que deux mois qu'elle est la maîtresse de Basso. Elle l'aime !

« Vous avez eu d'autres amants avant lui ?

— Monsieur !... »

Mais elle en a eu d'autres, c'est certain ! Une femme à tempérament ! Feinstein ne pouvait lui suffire.

« Depuis combien de temps êtes-vous mariée ?

— Huit ans !

— Votre mari était au courant de votre liaison ?

— Oh ! non.

— Il ne la soupçonnait pas un peu ?

— Jamais de la vie !

— Vous croyez qu'il a été capable de menacer Basso de son arme en apprenant quelque chose ?

— Je ne sais pas... C'était un homme très étrange, très renfermé... »

Évidemment, un ménage où ne régnait pas la plus grande intimité. Feinstein pris par ses affaires, Mado courant les magasins et les garçonnières.

Et un Maigret morne poursuivait l'enquête la plus traditionnelle, questionnait la concierge, les fournisseurs, le gérant de la chemiserie, boulevard des Capucines.

De tout cela se dégageait une impression un peu écœurante de banalité avec, par ailleurs, quelque chose d'équivoque.

Feinstein avait commencé par une toute petite chemiserie, avenue de Clichy. Puis, un an après son mariage, il avait repris une assez grosse affaire des Boulevards, en se faisant aider par les banques.

Depuis lors, c'était l'histoire de toutes les affaires qui manquent de base, les échéances plus que difficiles, les traites protestées, les expédients, les démarches humiliantes de fin de mois.

Rien de véreux. Rien de malpropre. Mais rien de solide non plus.

Et le ménage, boulevard des Batignolles, devait de l'argent à tous les fournisseurs.

Deux heures durant, dans le petit bureau du mort, derrière la chemiserie, Maigret eut le courage de se plonger dans les livres. Il ne découvrit rien d'anormal à une époque correspondant au crime dont Jean Lenoir avait parlé la veille de son exécution.

Pas de rentrées d'argent importantes. Pas de voyage. Pas d'achat particulier.

Rien enfin ! De la grisaille ! Une enquête qui piétinait.

La démarche la plus ennuyeuse fut à Morsang, auprès de Mme Basso dont l'attitude étonna le commissaire. Elle n'était pas abattue. Triste, certes ! Mais pas désespérée ! Et d'une dignité qu'on ne pouvait pas attendre d'elle.

« Mon mari a certainement eu ses raisons pour reprendre la liberté de ses mouvements.

— Vous ne le croyez pas coupable ?

— Non !

— Pourtant, cette fuite... Il ne vous a pas donné signe de vie ?

— Non !

— Combien d'argent avait-il sur lui ?

— Pas plus de cent francs ! »

Quai d'Austerlitz, c'était tout le contraire de la chemiserie. Le commerce de charbons rapportait bon an mal dans les cinq cent mille francs. Des

bureaux et des chantiers bien ordonnés. Trois
péniches sur l'eau. Et cela datait du père de
Marcel Basso, qui n'avait fait qu'agrandir l'affaire.

Le temps n'était pas fait pour mettre Maigret
de bonne humeur. Comme tous les gros, il
souffrait de la chaleur et jusqu'à trois heures,
chaque jour, c'était un soleil de plomb qui
stagnait dans Paris.

A ce moment, le ciel se couvrait. Il y avait de
l'électricité dans l'air, des coups de vent inattendus. La poussière des rues se mettait soudain à
tourbillonner.

A l'heure de l'apéritif, c'était réglé : roulements
de tonnerre, puis l'eau, en cataractes, crépitant
sur l'asphalte, transperçant le vélum des terrasses,
forçant les passants à s'abriter sur les seuils.

Ce fut le mercredi que, pris de la sorte par
l'ondée, Maigret pénétra à la taverne Royale. Un
homme se leva pour lui tendre la main. C'était
James, tout seul à une table, en face d'un Pernod.

Le commissaire ne l'avait pas encore vu en
tenue de ville. Il faisait un peu plus petit employé
que dans ses costumes fantaisistes de Morsang,
mais il gardait néanmoins quelque chose de
funambulesque.

« Vous prenez quelque chose avec moi ? »

Maigret était éreinté. Il y en avait pour deux
bonnes heures à pleuvoir. Puis il faudrait passer
quai des Orfèvres pour prendre les nouvelles.

« Un pernod ? »

D'habitude, il ne buvait que de la bière. Mais il ne protesta pas. Il but machinalement. James n'était pas un compagnon désagréable et tout au moins avait-il une grande qualité : il n'était pas bavard !

Il restait là, bien installé dans son fauteuil de rotin, les jambes croisées, à regarder les gens qui passaient dans la pluie et à fumer des cigarettes.

Quand un petit crieur de journaux se montra, il lui prit un quotidien du soir, le parcourant vaguement, le tendit à Maigret en soulignant un entrefilet du doigt.

Marcel Basso, le meurtrier du chemisier du boulevard des Capucines, n'a pas encore été retrouvé, malgré les actives recherches de la police et de la gendarmerie.

« Qu'est-ce que vous en pensez, vous ? » questionna Maigret.

James haussa les épaules, esquissa un geste indifférent.

« Vous croyez qu'il a gagné l'étranger ?

— Il ne doit pas être loin... Sans doute à rôder dans Paris.

— Qu'est-ce qui vous fait dire ça ?

— Je ne sais pas. Je crois... S'il a fui, c'est qu'il avait son idée... Deux Pernod, garçon !... »

Maigret en but trois et il glissa doucement dans un état qui ne lui était pas habituel. Ce n'était pas l'ivresse. Par contre, ce n'était pas la lucidité absolue.

Un état assez agréable. Il était mou. Il se sentait bien à la terrasse. Il pensait à l'affaire sans s'inquiéter et même avec une sorte de plaisir.

James parlait de choses et d'autres, sans se presser. A huit heures exactement, il se leva, prononça :

« C'est l'heure ! Ma femme m'attend... »

Maigret s'en voulut un peu du temps perdu et surtout de se sentir si lourd. Il dîna, passa à son bureau. Les gendarmeries n'avaient rien à signaler. La police non plus.

Le lendemain — c'était le jeudi — il poursuivit son enquête avec une même obstination exempte d'enthousiasme.

Recherches dans tous les dossiers vieux de dix ans. Mais rien qui semblât se rapporter à la dénonciation de Jean Lenoir !

Recherches, par ailleurs, dans les « sommiers ». Coups de téléphone aux maisons centrales et aux infirmeries spéciales dans le vague espoir de retrouver Victor, le compagnon tuberculeux dont le condamné avait parlé.

Beaucoup de Victor. Trop ! Et pas le bon !

A midi, Maigret avait des maux de tête, pas d'appétit. Il déjeuna place Dauphine, dans le petit restaurant où fréquentent presque tous les fonctionnaires de la police. Puis il téléphona à Morsang, où des agents étaient postés près de la villa des Basso.

Mais on n'avait vu personne. Mme Basso menait une vie normale, avec son fils. Elle lisait beaucoup de journaux. La villa n'avait pas le téléphone.

A cinq heures, Maigret sortait de la garçonnière de l'avenue Niel où il n'avait rien trouvé mais où il était allé fureter à tout hasard.

Et machinalement, comme si c'était déjà une vieille habitude, il se dirigea vers la taverne Royale, serra la main qui se tendait et se trouva assis à côté de James.

« Rien de neuf ? » questionna celui-ci.

Et aussitôt, au garçon :

« Deux Pernod ! »

L'orage était en retard sur l'horaire. Les rues restaient inondées de soleil. Des cars passaient, pleins d'étrangers.

« L'hypothèse la plus simple, celle que les journaux ont adoptée, murmura Maigret comme pour lui-même, c'est que Basso, attaqué par son compagnon pour une raison ou pour une autre, a saisi l'arme braquée sur lui et a tiré sur le chemisier...

— Oui, c'est idiot ! »

Maigret regarda James qui avait l'air, lui aussi, de parler pour lui-même.

« Pourquoi est-ce idiot ?

— Parce que, si Feinstein avait voulu tuer Basso, il s'y serait pris assez adroitement... C'était un homme prudent... Un bon joueur de bridge... »

Le commissaire ne put réprimer un sourire, tant James disait tout cela sérieusement.

« Alors, à votre avis ?...

— Évidemment, je n'ai pas d'avis... Basso n'avait pas besoin de coucher avec Mado... On sent tout de suite, rien qu'à la voir, que c'est une femme qui ne lâche pas facilement un homme...

— Son mari s'était déjà montré jaloux ?

— Lui ? »

Et ses yeux curieux cherchèrent Maigret, pétillèrent d'ironie.

« Vous n'avez pas encore compris ? »

James haussa les épaules, grommela :

« Cela ne me regarde pas... Quand même, s'il avait été jaloux, il y a longtemps que la plupart des habitués de Morsang seraient morts...

— Ils ont tous été ?...

— N'exagérons rien... Ils ont tous... Enfin, Mado a dansé avec tout le monde... Et, en dansant, on s'enfonçait dans les fourrés...

— Vous aussi ?

— Je ne danse pas... répliqua James.

— Le mari devait fatalement s'apercevoir de ce que vous dites ? »

Alors l'Anglais, avec un soupir :

« Je ne sais pas ! Il leur doit de l'argent à tous ! »

Regardé sous un certain angle, James avait l'air d'un imbécile ou d'un ivrogne abruti. Regardé autrement, il n'était pas sans dérouter.

« Tiens ! Tiens ! siffla Maigret.

— Deux Pernod, deux !

— Oui... Mado n'a même pas besoin d'être au courant... C'est discret. Feinstein tape les amants de sa femme, sans avoir l'air de savoir, tout en y mettant une insistance équivoque... »

Il n'y eut guère d'autres phrases échangées.

L'orage n'éclatait pas. Maigret but ses Pernod, l'œil rivé à la rue où coulait la foule. Il était confortablement assis, la chair à l'aise, et son cerveau examinait mollement le problème tel qu'il se présentait maintenant.

« Huit heures !... »

Et James lui serrait la main, s'en allait, juste au moment où l'ondée commençait.

Le vendredi, c'était déjà une habitude. Maigret alla à la taverne Royale sans s'en rendre compte. A certain moment, il ne put s'empêcher de dire à James :

« En somme, vous ne rentrez jamais chez vous après le bureau ? De cinq à huit vous...

— Il faut bien avoir un petit coin à soi ! » soupira l'autre.

Et ce coin-là, c'était la terrasse d'une brasserie, un guéridon de marbre, l'apéritif opalin et, pour horizon, la colonnade de la Madeleine, le tablier blanc des garçons, la foule, les voitures en mouvement.

« Il y a longtemps que vous êtes marié ?

— Huit ans... »

Maigret n'osa pas lui demander s'il aimait sa femme. Il était persuadé d'ailleurs, que James lui

répondrait oui. Seulement, après huit heures !
Après le coin intime !

Est-ce que les relations des deux hommes ne
commençaient pas à friser l'amitié ?

Ce jour-là, on ne parla pas de l'affaire. Maigret
but ses trois Pernod. Il avait besoin de ne pas voir
la vie sous un jour trop cru. Il était assailli de
petits tracas, de soucis mesquins.

C'était l'époque des vacances. Il devait s'occu-
per du travail de plusieurs collègues. Et le juge
d'instruction chargé de l'affaire de la guinguette
ne lui laissait pas de répit, l'envoyait interroger à
nouveau Mado Feinstein, examiner les livres du
chemisier, questionner les employés de Basso.

La Police Judiciaire avait déjà trop peu d'hommes disponibles et il en fallait pour garder tous les
endroits où le fugitif était susceptible de se
présenter. Cela mettait le chef de mauvaise
humeur.

« Vous n'en aurez pas bientôt fini avec cette
plaisanterie-là ?... » avait-il demandé, le matin.

Maigret était de l'avis de James. Il flairait la
présence de Basso à Paris. Mais où s'était-il
procuré de l'argent ? Ou bien alors comment
vivait-il ? Qu'espérait-il ? Qu'attendait-il ? A
quelle tâche se livrait-il ?

Sa culpabilité n'était pas prouvée. En restant
prisonnier et en prenant un bon avocat, il pouvait
espérer, sinon l'acquittement, du moins une
condamnation légère. Après quoi il retrouvait sa
fortune, sa femme, son fils.

Or, au lieu de tout cela, il fuyait, se cachait, renonçait par le fait à tout ce qui avait été sa vie.

« Faut croire qu'il a ses raisons ! » avait dit James avec sa philosophie habituelle.

Comptons sans faute sur toi, serons gare, baisers.

C'était le samedi. Mme Maigret envoyait un ultimatum affectueux. Son mari ne savait pas encore comment il y répondrait. Mais, à cinq heures, il était à la taverne Royale, serrait la main à James qui se tournait vers le garçon :

« Pernod... »

Comme le samedi précédent, c'était la ruée vers les gares, un défilé continu de taxis chargés de bagages, l'affairement de gens partant enfin en vacances.

« Vous allez à Morsang ? questionna Maigret.

— Comme tous les samedis !

— On va sentir un vide... »

Le commissaire avait bien envie d'aller à Morsang, lui aussi. Mais, d'autre part, il avait envie de voir sa femme, d'aller pêcher la truite dans les ruisseaux d'Alsace, de respirer la bonne odeur de la maison de sa belle-sœur.

Il hésitait encore. Il regarda vaguement James qui se levait soudain et se dirigeait vers le fond de la brasserie.

Il ne s'étonna pas. Il ne fit même qu'enregistrer

machinalement ce départ momentané. Il remarqua à peine que son compagnon reprenait sa
place.

Cinq minutes, dix minutes passèrent. Un garçon s'approcha.

« Monsieur Maigret, s'il vous plaît ?... C'est
l'un de vous ?...

— C'est moi. Pourquoi ?

— On vous demande au téléphone... »

Et Maigret se leva, gagna à son tour le fond de
la salle, les sourcils froncés parce que, malgré son
engourdissement, il flairait quelque chose de pas
naturel.

Quand il entra dans la cabine, il se retourna
vers la terrasse, aperçut James, qui le regardait.

« Bizarre !... grogna-t-il... Allô !... Allô !... Ici
Maigret... Allô ! Allô !... »

Il s'impatienta, fit claquer ses doigts. Enfin une
voix de femme, au bout du fil.

« J'écoute !

— Allô !... Eh bien ?...

— Quel numéro demandez-vous ?

— Mais on m'a appelé à l'appareil, mademoi-
selle.

— C'est impossible, monsieur ! Raccrochez ! Je
n'ai pas appelé votre numéro depuis dix minutes
au moins... »

Il ouvrit la porte d'une poigne brutale. Et ce fut
rapide comme un coup de matraque. Dehors,
dans l'ombre de la terrasse, un homme était
debout près de James. C'était Marcel Basso,

drôlement vêtu, étriqué, différent de lui-même,
dont le regard fiévreux guettait la porte de la
cabine.

Il vit Maigret au moment où celui-ci le voyait.
Ses lèvres remuèrent. Il dut dire quelque chose et
se précipita aussitôt dans la foule.

« Combien de communications ? » demandait la
caissière au commissaire.

Mais celui-ci courait. La terrasse était encombrée. Le temps de la traverser, d'être au bord du
trottoir et il était impossible de dire dans quelle
direction Basso avait fui. Il y avait cinquante taxis
en marche. Avait-il pris place dans l'un d'eux ? Et
des autobus par surcroît !...

Maigret, renfrogné, revint vers sa table, s'assit
sans mot dire, sans regarder James qui n'avait pas
bougé.

« La caissière vous fait demander combien de
communications..., vint demander un garçon.

— Zut ! »

Il perçut un sourire sur les lèvres de James, s'en
prit à lui.

« Je vous félicite !

— Vous croyez ?...

— C'était combiné d'avance ?

— Même pas ! Deux Pernod, garçon ! Et des
cigarettes !

— Qu'est-ce qu'il vous a dit ?... Qu'est-ce qu'il
voulait ?... »

James se renversa sur sa chaise sans répondre,

soupira, comme un homme qui trouve toute conversation inutile.

« De l'argent ?... Où a-t-il pêché le complet qu'il avait sur le corps ?...

— Il ne peut quand même pas se promener à Paris en pantalon et en chemise de flanelle blanche ! »

C'est dans cette tenue, en effet, que Basso s'était enfui, en gare de Seine-Port. James n'oubliait rien.

« C'est la première fois que vous reprenez contact avec lui cette semaine ?

— Qu'il reprend contact avec moi !

— Et vous ne voulez rien dire ?

— Vous feriez comme moi, pas vrai ? J'ai bu cent fois chez lui ! Il ne m'a rien fait !

— Il voulait de l'argent ?

— Il y a une demi-heure qu'il nous guettait... Déjà hier j'avais cru l'apercevoir sur l'autre trottoir... Sans doute n'a-t-il pas osé...

— Et vous m'avez fait appeler au téléphone !

— Il paraissait fatigué !

— Il n'a rien dit ?

— C'est inouï comme un costume qui ne va pas peut changer un homme... », soupira James sans répondre.

Maigret l'observait à la dérobée.

« Savez-vous qu'en bonne justice on pourrait vous inculper de complicité ?

— Il y a tant de choses qu'on peut faire en

bonne justice ! Sans compter qu'elle n'est pas
toujours si bonne que ça ! »

Il avait son air le plus loufoque.

« Et ces Pernod, garçon ?

— Voilà ! Voilà !

— Vous venez à Morsang aussi ?... Parce que
je vais vous dire... Si vous y venez, nous avons
presque autant d'avantage à prendre un taxi...
C'est cent francs... Le train coûte...

— Et votre femme ?

— Elle prend toujours un taxi, avec sa sœur et
ses amies... A cinq, cela leur revient à vingt francs
et le train coûte...

— Ça va !

— Vous ne venez pas ?

— Je viens !... Combien, garçon ?...

— Pardon ! Chacun sa part, comme d'habitude ! »

C'était un principe. Maigret paya ses consom-
mations, James les siennes. Il ajouta dix francs
pour la fausse commission du garçon.

Dans le taxi, il paraissait préoccupé mais, vers
Villejuif, il révéla l'objet de cette préoccupation :

« Je me demande chez qui l'on va faire le
bridge, demain après-midi. »

C'était l'heure de l'orage. Des fléchettes de
pluie commençaient à frapper les vitres.

5

L'AUTO DU DOCTEUR

On aurait pu s'attendre à trouver à Morsang une autre atmosphère que d'habitude. Le drame datait du dimanche précédent. De la petite bande, il y avait un mort et un assassin en fuite.

N'empêche que, quand James et Maigret arrivèrent, ceux qui étaient déjà là entouraient une voiture neuve. Ils avaient troqué leurs vêtements de ville contre les traditionnelles tenues de sport. Seul le docteur était en complet veston.

La voiture était à lui. Il la sortait pour la première fois. On le questionnait et il en exposait complaisamment les mérites.

« Il est vrai que la mienne consomme davantage, mais... »

Presque tout le monde avait une auto. Celle du docteur était neuve.

« Écoutez les reprises... »

Sa femme était si heureuse qu'elle restait assise dans la voiture en attendant la fin de ces conciliabules. Le docteur Mertens pouvait avoir trente

ans. Il était maigre, chétif, et ses gestes étaient
aussi délicats que ceux d'une fillette anémique.

« C'est ta nouvelle bagnole ? » questionna
James qui surgissait.

Il en fit le tour à grands pas, en grommelant des
choses inintelligibles.

« Faudra que je l'essaie demain matin... Ça ne
t'embête pas ?... »

La présence de Maigret aurait pu être gênante.
On s'en aperçut à peine ! Il est vrai qu'à l'auberge
chacun était chez soi, chacun allait et venait à sa
guise.

« Ta femme ne vient pas, James ?

— Elle va arriver avec Marcelle et Lili... »

On sortait les canoës du garage. Quelqu'un
réparait une canne à pêche avec du fil de soie.
Jusqu'au dîner, on fut dispersé et, à table, il n'y
eut guère de conversation générale. Quelques
bribes de phrases.

« Mme Basso est chez elle ?

— Quelle semaine elle a dû passer !

— Qu'est-ce qu'on fait demain ? »

Maigret était quand même de trop. On l'évitait
sans l'éviter trop carrément. Quand James n'était
pas avec lui, il restait seul à errer à la terrasse ou
au bord de l'eau. Lorsque la nuit tomba, il en
profita pour aller voir ses agents postés près de la
villa des Basso.

Ils étaient deux à se relayer, à prendre tour à
tour leurs repas dans un bistrot de Seine-Port, à
deux kilomètres de là. Quand le commissaire se

montra, celui qui n'était pas de garde retirait une ligne de fond.

« Rien à signaler ?

— Rien du tout ! *Elle* mène une vie tranquille. De temps en temps, elle se promène dans le jardin. Les fournisseurs viennent comme d'habitude : le boulanger à neuf heures, le boucher un peu plus tard et, vers onze heures, le légumier avec sa charrette. »

Il y avait de la lumière au rez-de-chaussée. A travers les rideaux, on devinait la silhouette du gamin qui mangeait sa soupe, une serviette nouée autour du cou.

Les policiers étaient dans un petit bois longeant la rivière et celui qui pêchait soupira :

« Vous savez ! c'est plein de lapins, par ici… Si on voulait… »

En face, la guinguette à deux sous, où deux couples — sans doute des ouvriers de Corbeil — dansaient au son du piano mécanique.

Un dimanche matin comme tous les dimanches de Morsang avec des pêcheurs à la ligne le long des berges, d'autres pêcheurs immobiles dans des bachots peints en vert et amarrés à deux fiches, des canoës, un ou deux bateaux à voile…

On sentait que tout cela était réglé avec soin, que rien n'était capable de changer le cours régulier de ces journées.

Le paysage était joli, le ciel pur, les gens paisibles et peut-être à cause de tout cela c'en était écœurant comme une tarte trop sucrée.

Maigret trouva James en chandail rayé de bleu et de blanc, pantalon blanc et espadrilles, bonnet de marin américain sur la tête et buvant, en guise de petit déjeuner, un grand verre de fine à l'eau.

« T'as bien dormi ? »

Un détail amusant : à Paris, il ne tutoyait pas Maigret, tandis qu'à Morsang il tutoyait tout le monde, y compris le commissaire, sans même s'en apercevoir.

« Qu'est-ce que tu fais ce matin ?

— Je crois que j'irai jusqu'à la guinguette.

— On s'y retrouvera tous... Il paraît qu'il y a rendez-vous là-bas pour l'apéritif... Tu veux un canot ?...

Maigret était seul en tenue de ville sombre. On lui donna un youyou verni où il eut de la peine à tenir en équilibre. Quand il arriva à la guinguette à deux sous, il était dix heures du matin et l'on ne voyait encore aucun client.

Ou plutôt il en trouva un, dans la cuisine, occupé à manger un quignon de pain avec du gros saucisson. La grand-mère lui disait justement :

« Faut soigner ça... ! J'ai un de mes gars qui ne voulait pas y faire attention et qui y a passé... Et il était plus grand et plus fort que vous !... »

A cet instant, le client était pris d'une quinte de toux et n'arrivait pas à avaler le pain qu'il avait en

bouche. Tout en toussant, il apercevait Maigret
sur le seuil, fronçait les sourcils.

« Une canette de bière ! commanda le commissaire.

— Vous n'aimez pas mieux vous installer à la
terrasse ? »

Mais non ! Il préférait la cuisine, avec sa table
de bois tailladé, ses chaises de paille, la grande
marmite qui chantait sur le fourneau.

« Mon fils est parti à Corbeil chercher des
siphons qu'on a oublié de livrer... Vous ne voulez
pas m'aider à ouvrir la trappe ?... »

La trappe ouverte au milieu de la cuisine laissa
voir la gueule humide de la cave. Et la vieille toute
cassée descendit, tandis que le client ne quittait
pas Maigret du regard.

C'était un garçon d'environ vingt-cinq ans, pâle
et maigre, avec des poils blonds sur les joues. Il
avait les yeux très enfoncés dans les orbites, les
lèvres sans couleur.

Mais ce qui frappait le plus, c'était sa tenue. Il
n'était pas en loques comme un vagabond. Il
n'avait pas l'allure insolente d'un rôdeur professionnel.

Non ! on trouvait en lui un mélange de timidité
et de forfanterie. Il était à la fois humble et
agressif. A la fois propre et sale, si l'on peut dire.

Des vêtements qui avaient été nets, bien entre-
tenus et qui, depuis quelques jours, avaient traîné
partout.

« Tes papiers ! »

Maigret n'avait pas besoin d'ajouter :

« Police ! »

Le gars avait compris depuis longtemps. Il tirait de sa poche un livret militaire poisseux. Le commissaire lisait le nom à mi-voix :

« Victor Gaillard ! »

Il refermait tranquillement le livret et le rendait à son propriétaire. La vieille remontait, repoussait la trappe.

« Elle est bien fraîche ! » dit-elle en ouvrant la canette.

Et elle se remettait à éplucher ses pommes de terre tandis que le dialogue des deux hommes commençait posément, sans émotion apparente.

« Dernière adresse ?

— Sanatorium municipal de Gien.

— Quand l'as-tu quitté ?

— Il y a un mois.

— Et depuis ?

— J'étais « sans un ». J'ai bricolé le long de la route. Pouvez m'arrêter pour vagabondage, mais il faudra bien qu'on me remette dans un « sana ». Je n'ai plus qu'un poumon... »

Il ne disait pas cela sur un ton larmoyant, mais au contraire, il semblait donner une référence.

« T'as reçu une lettre de Lenoir ?

— Quel Lenoir ?

— Fais pas l'idiot ! Il t'a dit que tu retrouverais l'homme à la guinguette à deux sous.

— J'en avais marre du sana !

— Et surtout envie de vivre à nouveau sur le dos du type du canal Saint-Martin ! »

La vieille écoutait sans comprendre, sans s'étonner. Cela se passait simplement, dans ce décor de bicoque pauvre où une poule venait picorer jusqu'au milieu de la pièce !

« Tu ne réponds pas ?

— Je ne sais pas ce que vous voulez dire.

— Lenoir a parlé.

— Je ne connais pas Lenoir. »

Maigret haussa les épaules, répéta en allumant lentement sa pipe :

« Fais pas l'idiot ! Tu sais bien que je t'aurai toujours au tournant.

— Je ne risque que le sana.

— Je sais... Ton poumon enlevé... »

On voyait les canoës glisser sur la rivière.

« Lenoir ne t'a pas trompé. Le bonhomme va venir.

— Je ne dirai rien !

— Tant pis pour toi ! Si tu ne t'es pas décidé avant ce soir, je te fais fourrer en boîte pour vagabondage. Ensuite, on verra... »

Maigret le regardait dans les yeux, lisait en lui aussi aisément que dans un livre tant il connaissait cette sorte d'hommes.

Une autre race que Lenoir ! Victor, lui, était de ceux qui, chez les mauvais garçons, se mettent à la remorque des autres ! Ceux à qui l'on fait faire le guet pendant un mauvais coup ! Ceux qui ont la plus petite part dans le partage !

Des êtres mous qui, une fois lancés dans une direction, sont incapables d'en changer. Il avait couru les rues et les bals musettes, à seize ans. Avec Lenoir, il était tombé sur l'aubaine du canal Saint-Martin. Il avait pu vivre ainsi pendant un certain temps d'un chantage aussi régulier qu'une profession avouée.

Sans la tuberculose, on l'aurait sans doute retrouvé comme dernier comparse dans la bande de Lenoir. Mais sa santé l'avait conduit au sanatorium. Il avait dû y faire le désespoir des médecins et des infirmières. Chapardages, petits délits divers. Et Maigret devinait que, de punition en punition, on l'avait renvoyé d'un sanatorium à l'autre, d'un hôpital à une maison de repos, d'une maison de repos à un patronage de redressement moral !

Il ne s'effrayait pas. Il avait une bonne réponse à tout : son poumon ! Il en vivait, en attendant d'en mourir !

« Qu'est-ce que vous voulez que ça me fasse ?

— Tu refuses de me désigner l'homme du canal ?

— Connais pas ! »

Il prononçait ces mots tandis que ses yeux pétillaient d'ironie. Et même il reprenait son saucisson, y mordait à pleines dents, mastiquait avec application.

« D'abord, Lenoir n'a rien dit ! grommela-t-il après réflexion. C'est pas au moment d'en finir qu'il aurait parlé... »

Maigret ne s'énervait pas. Il tenait le bon bout.
De toute façon, il avait maintenant un élément de
plus pour arriver à la vérité.

« Encore une canette, grand-mère !

— Heureusement que j'ai pensé à en monter
trois à la fois ! »

Elle regardait curieusement Victor en se
demandant quel crime il avait pu commettre.

« Quand je pense que vous étiez bien soigné
dans un sana et que vous en êtes parti !... Comme
mon fils !... Ça aime mieux rôder que...

Dans le soleil qui baignait le paysage, Maigret
suivait les évolutions des canots. L'heure de
l'apéritif approchait. Un petit voilier, où avaient
pris place la femme de James et deux amies,
accostait le premier à la rive. Les trois femmes
adressaient des signes à un canoë qui abordait à
son tour.

Et d'autres suivaient. La vieille, qui s'en apercevait, soupirait :

« Et mon fils qui n'est pas rentré !... Je ne vais
pas pouvoir les servir... Ma fille est partie au
lait... »

Elle n'en saisissait pas moins des verres qu'elle
allait poser sur les tables de la terrasse, puis elle
fouillait dans une poche cachée sous son large
jupon, faisait sonnailler de la monnaie.

« Va leur falloir des gros sous pour la musique... »

Maigret restait à sa place, à observer tour à tour
les nouveaux arrivants et le vagabond tuberculeux

qui continuait à manger avec indifférence. Il apercevait sans le vouloir la villa des Basso, avec son jardin fleuri, son plongeoir dans la rivière, les deux bateaux amarrés, l'escarpolette du gamin.

Il tressaillit soudain parce qu'il crut percevoir un coup de feu dans le lointain. Au bord de la Seine aussi, les gens avaient levé la tête. Mais on ne voyait rien. Il ne se passait rien. Dix minutes s'écoulaient. Les clients du Vieux-Garçon s'installaient autour des tables. La vieille sortait, les bras chargés de bouteilles d'apéritif.

Alors une silhouette sombre dévala la pente de gazon, dans l'enclos des Basso. Maigret reconnut un de ses inspecteurs qui, maladroitement, enlevait la chaîne d'un canot, ramait de toutes ses forces vers le large.

Il se leva, regarda Victor.

« Tu ne bouges pas d'ici, hein !

— Si ça vous fait plaisir. »

On s'était interrompu, dehors, de commander à boire, pour regarder l'homme en noir qui ramait. Maigret marchait jusqu'aux roseaux du bord de l'eau, attendait avec impatience.

« Qu'est-ce que c'est ? »

L'inspecteur était essoufflé.

« Montez vite... Je vous jure que ce n'est pas ma faute... »

Il ramait à nouveau, avec Maigret à bord, vers la villa.

« Tout était tranquille... Le légumier venait de partir... Mme Basso se promenait dans le jardin

avec le gamin... Je ne sais pas pourquoi, je
trouvais qu'ils avaient une drôle de façon de se
promener, comme des gens qui attendent quelque
chose... Une auto arrive, une auto toute neuve...
Elle s'arrête juste devant la grille... Un homme
descend...

— Un peu chauve, mais encore jeune ?

— Oui !... Il entre... Il marche dans le jardin
avec Mme Basso et le garçon... Vous connaissez
mon poste d'observation... J'étais assez loin
d'eux... Ils se serrent la main... La femme
reconduit l'homme à la grille... Il monte sur son
siège, pousse le démarreur... Et, avant que j'aie
pu faire un mouvement, Mme Basso se précipite à
l'intérieur avec son fils tandis que la voiture file à
toute allure...

— Qui a tiré ?

— Moi. Je voulais crever un pneu.

— Berger était avec toi ?

— Oui. Je l'ai envoyé à Seine-Port pour téléphoner partout. »

C'était la seconde fois qu'il fallait alerter toutes
les gendarmeries de Seine-et-Oise. La barque
touchait terre. Maigret pénétrait dans le jardin.
Mais qu'y faire ? C'était au téléphone à travailler,
a alerter les gendarmes.

Maigret se pencha pour ramasser un mouchoir
de femme, marqué aux initiales de Mme Basso. Il
était presque réduit en charpie, tant elle l'avait
tiraillé en attendant James.

Ce qui affectait peut-être le plus le commissaire

c'était le souvenir des Pernod de la taverne Royale, deux heures de sourd engourdissement passées côte à côte avec l'Anglais, à la terrasse de la brasserie.

Il en ressentait comme un écœurement. Il avait la sensation pénible de n'avoir pas été lui-même, de s'être laissé dominer par une sorte d'envoûtement.

« Je continue à garder la villa ?

— Par crainte que les briques s'en aillent ? Va rejoindre Berger. Aide-le à tendre le filet. Tâche de te procurer une moto pour me tenir au courant heure par heure. »

Sur la table de la cuisine, à côté de légumes, une enveloppe portant, de l'écriture de James :

« *A remettre sans faute à Mme Basso.* »

C'était évidemment le légumier qui avait apporté la lettre. Elle avertissait la jeune femme de ce qui allait se passer. C'est pourquoi elle se promenait nerveusement dans le jardin avec son fils !

Maigret remonta dans le bachot. Quand il arriva à la guinguette à deux sous, la bande entourait le vagabond, que le médecin questionnait et à qui l'on avait offert un apéritif.

Victor eut le culot d'adresser une œillade au commissaire comme pour lui dire :

« Je suis en train de tirer mon petit plan ! Laissez faire... »

Et il continua à expliquer :

« ... Il paraît que c'est un grand professeur... On m'a rempli le poumon avec de l'oxygène, comme ils disent, puis on l'a refermé comme un ballon d'enfant... »

Le docteur souriait des termes employés, mais confirmait par signes, pour ses compagnons, la véracité du récit.

« On doit maintenant me faire la même chose avec la moitié de l'autre... Car on a deux poumons, bien entendu... Ce qui fait qu'il ne m'en restera qu'un demi...

— Et tu bois des apéritifs ?

— Parbleu ! A votre santé !

— Tu n'as pas des sueurs froides, la nuit ?

— Des fois ! quand je couche dans une grange pleine de courants d'air !

— Qu'est-ce que vous buvez, commissaire ? demanda quelqu'un. Il ne s'est rien passé, au moins, qu'on est venu vous chercher de la sorte ?

— Dites, docteur, est-ce que James s'est servi ce matin de votre voiture ?

— Il m'a demandé la permission de l'essayer. Il va rentrer...

— J'en doute ! »

Le médecin sursauta, se dressa d'émotion, bégaya en essayant de sourire.

« Vous plaisantez...

— Je ne plaisante pas le moins du monde. Il vient de s'en servir pour enlever Mme Basso et son fils.

— James ?... questionna avec ahurissement la femme de celui-ci, qui n'en pouvait croire ses oreilles.

— James, parfaitement !

— Ce doit être une farce !... Il aime tant les mystifications !... »

Celui qui s'amusait le plus, c'était Victor, qui sirotait son apéritif en contemplant Maigret avec une béate ironie.

Le débitant rentrait de Corbeil avec sa petite voiture tirée par un poney. Il en débarquait des caisses de siphons, annonçait en passant :

« Encore des histoires ! Voilà maintenant qu'on ne peut plus circuler sur les routes sans se faire arrêter par les gendarmes ! Heureusement qu'ils me connaissent...

— Sur la route de Corbeil ?

— Il y a quelques minutes... Ils sont dix, près du pont, à arrêter toutes les voitures et à exiger les papiers... Si bien qu'il y a au moins trente autos immobilisées... »

Maigret détourna la tête. Il n'y était pour rien. C'était la seule méthode possible, mais une méthode lourde, inélégante, brutale. Et c'était beaucoup, deux dimanches de suite, dans le même département, pour une affaire sans envergure dont les journaux avaient à peine parlé.

Est-ce qu'il s'y était mal pris ? Est-ce qu'il avait vraiment pataugé ?

A nouveau lui revint le souvenir désagréable de

la taverne Royale et des heures passées avec
James.

« Qu'est-ce que vous prenez ? lui demandait-on
à nouveau. Un « grand'Per' » ?

Encore un mot qui lui était désagréable, car
c'était comme la synthèse de toute cette semaine-
là, de toute l'affaire, de la vie dominicale de la
bande de Morsang.

« De la bière ! répliqua-t-il.

— A cette heure-ci ? »

Le brave garçon qui voulait lui offrir l'apéritif
ne dut pas comprendre pourquoi Maigret, soudain furieux, martelait :

« A cette heure-ci, oui ! »

Le vagabond reçut, lui aussi, un regard har-
gneux. Le docteur, parlant de lui, expliquait au
pêcheur de brochets :

« C'est un cas... Je connaissais le traitement,
mais je n'avais jamais vu une application aussi
complète du pneumothorax... »

Et, à voix basse :

« N'empêche qu'il n'en a plus pour un an... »

Maigret déjeuna au Vieux Garçon, seul dans
son coin comme une bête malade qui grogne à la
moindre approche. Deux fois l'inspecteur vint le
trouver en moto.

« Rien. La voiture a été signalée sur la route de
Fontainebleau, mais ensuite on ne l'a plus vue... »

C'était beau ! Un barrage sur la route de Fontainebleau ! Des milliers de voitures arrêtées !

Deux heures plus tard, on apprenait d'Arpajon qu'un garagiste avait fourni de l'essence à une auto répondant au signalement de celle du docteur.

Mais était-ce bien celle-là ? L'homme affirmait qu'il n'y avait pas de femme dedans.

A cinq heures, enfin, une communication de Montlhéry. L'auto tournait sur l'autodrome, comme pour des essais de vitesse, quand une crevaison l'avait immobilisée. Par hasard un agent avait demandé au chauffeur son permis de conduire. Il n'en avait pas.

C'était James tout seul ! On attendait des instructions de Maigret pour le relâcher ou l'écrouer.

« Des pneus neufs ! se lamentait le docteur. Et à la première sortie ! Je finirai par croire qu'il est fou... Ou alors, il était soûl, comme toujours... »

Et il demanda à Maigret la permission de l'accompagner.

6

MARCHANDAGES

On fit un détour pour passer à la guinguette à deux sous prendre le vagabond qui, une fois dans la voiture, se retourna vers le patron et lui lança une œillade qui signifiait :

« Vous voyez avec quels égards on me traite, hein ! »

Il était sur le strapontin, en face de Maigret. La glace était ouverte et il eut le culot de minauder :

« Cela ne vous ferait rien de fermer ?... A cause de mon poumon, n'est-ce pas ?... »

A l'autodrome, il n'y avait pas de courses ce jour-là. Quelques sportsmen étaient seuls à s'entraîner sur la piste, devant les gradins vides. On n'en avait que davantage une impression d'immensité.

Quelque part, une voiture arrêtée, un uniforme de gendarme et un homme casqué de cuir agenouillé devant une moto.

« C'est par là ! » dit-on au commissaire.

Victor s'intéressait surtout à un bolide qui tournoyait sur la piste à quelque deux cents

kilomètres à l'heure et, cette fois, il avait ouvert
lui-même la glace pour se pencher.

« C'est bien ma voiture ! dit le docteur. Pourvu
que... »

Alors, devant le motocycliste occupé à réparer,
on distingua James qui, placide, le menton dans la
main, donnait des conseils au mécanicien. Il leva
la tête en voyant Maigret avec ses deux compagnons, murmura :

« Tiens ! Déjà ?... »

Puis il regarda Victor des pieds à la tête,
étonné, se demandant apparemment ce qu'il faisait là.

« Qui est-ce ? »

Si Maigret avait mis de l'espoir dans cette
rencontre, il dut déchanter. Victor regarda à peine
l'Anglais, continua à s'intéresser à la ronde de
l'auto de course. Le docteur avait déjà ouvert les
portières de sa voiture pour s'assurer qu'elle
n'avait pas souffert.

« Il y a longtemps que vous êtes ici ? grommela
le commissaire à l'adresse de James.

— Je ne sais plus... Peut-être assez longtemps,
oui... »

Il était d'un flegme incroyable. Impossible de se
douter qu'il venait d'enlever une femme et un
gamin au nez de la police et qu'à cause de lui toute
la gendarmerie de Seine-et-Oise était encore sur
pied de guerre.

« N'aie pas peur ! dit-il au docteur, il n'y a que
le pneu... Le reste est intact... Une bonne

machine... Peut-être un peu trop dure à démarrer...

— C'est Basso qui, hier, vous a demandé d'aller chercher sa femme et son fils ?

— Vous savez bien que je ne peux pas répondre à des questions pareilles, mon vieux Maigret...

— Et vous ne pouvez pas non plus me dire où vous les avez déposés...

— Avouez qu'à ma place vous...

— Il y a en tout cas quelque chose de très fort, quelque chose qu'un professionnel n'aurait pas trouvé ! »

James le regarda avec un étonnement plein de modestie.

« Quoi ?

— L'autodrome !... Mme Basso est en sûreté... Mais il vaut mieux que la police ne retrouve pas la voiture tout de suite... Les routes sont gardées... Alors vous pensez à l'autodrome !... Et vous tournez, vous tournez...

— Je vous jure qu'il y a longtemps que j'avais envie de... »

Mais le commissaire ne s'inquiétait plus de lui, se précipitait vers le docteur qui voulait poser la roue de rechange.

« Pardon ! L'auto reste jusqu'à nouvel ordre à la disposition de la Justice.

— Quoi ?... *Mon* auto ?... Qu'est-ce que j'ai fait, moi ?... »

Il eut beau protester, la voiture fut enfermée

dans un box dont Maigret emporta la clef. Le gendarme attendait des instructions. James fumait une cigarette. Le vagabond regardait toujours rouler les bolides.

« Emmenez celui-là ! dit Maigret en le désignant. Qu'on le boucle à la permanence de la Police Judiciaire.

— Et moi ? demanda James.

— Vous n'avez toujours rien à me dire ?

— Rien de spécial. Mettez-vous à ma place ! »

Alors Maigret, bourru, lui tourna le dos.

Le lundi, il se mit à pleuvoir et Maigret en fut ravi, car la grisaille s'harmonisait mieux avec son humeur et avec les besognes de la journée.

D'abord les rapports sur les événements de la veille, rapports qui devaient justifier le déploiement de forces commandé par le commissaire.

A onze heures, deux experts de l'Identité Judiciaire vinrent le prendre à son bureau et, en taxi, les trois hommes se rendirent à l'autodrome, où Maigret n'eut guère qu'à regarder travailler ses compagnons.

On savait que le docteur n'avait fait que soixante kilomètres avec la voiture qui sortait de l'usine. Le compteur, maintenant, marquait deux cent dix kilomètres. Et l'on évaluait à cinquante kilomètres environ le parcours accompli par James sur l'autodrome.

Restait à son actif une centaine de kilomètres sur la route. De Morsang à Montlhéry, il y en a à peine quarante par la voie directe.

Dès lors, sur une carte routière, il restait a circonscrire le champ d'action de la voiture.

Le travail des experts fut minutieux. Les pneus furent grattés avec soin, les poussières et les débris recueillis, examinés à la loupe, certains mis de côté pour analyse ultérieure.

« Goudron frais », annonçait l'un.

Et l'autre, sur une carte spéciale fournie par les Ponts et Chaussées, cherchait, dans le périmètre donné, les endroits où la route était en chargement.

Il y en avait quatre ou cinq, dans des directions différentes. Le premier expert poursuivait :

« Débris calcaires... »

La carte d'état-major venait alors appuyer les deux autres cartes. Maigret faisait les cent pas en fumant d'un air maussade.

« Pas de calcaire vers Fontainebleau, mais par contre entre La Ferté-Allais et Arpajon...

— Je trouve des grains de blé entre les dessins des pneus... »

Les observations s'accumulaient. Les cartes étaient surchargées de traits de crayon bleu et rouge.

A deux heures, on téléphona au maire de La Ferté-Allais pour lui demander si, dans la ville, une entreprise quelconque employait en ce moment du ciment Portland de telle sorte qu'il

pût y en avoir sur la route. La réponse n'arriva
qu'à trois heures.

« Les Moulins de l'Essonne font des transfor-
mations à l'aide de ciment Portland. Il y en a sur
la route départementale de La Ferté à Arpajon. »

C'était un point de gagné. La voiture avait
passé par là et les experts emportèrent encore un
certain nombre d'objets pour les étudier plus
minutieusement au laboratoire.

Maigret, la carte à la main, pointa toutes les
agglomérations situées dans le périmètre d'action
de la voiture, avisa les gendarmeries et les munici-
palités.

A quatre heures, il quitta son bureau avec l'idée
d'interroger le vagabond qu'il n'avait pas vu
depuis la veille et qui se trouvait dans le cachot
provisoire installé au pied de l'escalier de la P.J.
Une idée lui vint comme il descendait cet escalier.
Il rentra dans son bureau pour téléphoner au
comptable de la maison Basso.

« Allô ! Police ! Voulez-vous me dire quelle est
votre banque ? La banque du Nord, boulevard
Haussmann ? Merci... »

Il se fit conduire à la banque, se présenta au
directeur. Et, cinq minutes plus tard, Maigret
avait un élément d'enquête de plus. Le matin
même, vers dix heures, James s'était présenté au
guichet, avait touché un chèque de trois cent mille
francs tiré par Marcel Basso.

Ce chèque était daté de quatre jours auparavant.

* * *

« Patron ! C'est le type qui est en bas qui insiste pour vous voir. Il paraît qu'il a quelque chose d'important à vous dire... »

Maigret descendit lourdement l'escalier, pénétra dans le cachot où Victor était assis sur un banc, les coudes sur la table, la tête entre les mains.

« Je t'écoute ! »

Le prisonnier se leva vivement, prit un air malin et, se balançant d'une jambe à l'autre, commença :

« Vous n'avez rien trouvé, pas vrai ?

— Va toujours !

— Vous voyez que vous n'avez rien trouvé !... Je ne suis pas plus bête qu'un autre... Alors, cette nuit, j'ai réfléchi...

— Tu es décidé à parler ?

— Attendez ! Faut qu'on s'entende... Je ne sais pas si c'est vrai que Lenoir a mangé le morceau, mais, en tout cas, s'il l'a fait, il ne vous en a pas dit assez... Sans moi, vous ne trouverez jamais rien, c'est un fait !... Vous êtes embêté !... Vous le serez toujours plus !... Alors, moi, je vous dis ceci : un secret comme celui-là vaut de l'argent... Beaucoup d'argent !... Supposez que j'aille trouver l'assassin et que je lui dise que je vais tout avouer à la police... Est-ce que vous croyez qu'il ne cracherait pas tout ce que je voudrais ?... »

Et Victor avait cet air ravi des humbles, habitués à courber la tête, qui se sentent soudain forts

Toute sa vie il avait eu maille à partir avec la
police. Et voilà qu'il avait l'impression de tenir le
bon bout ! Il accompagnait son discours de poses
étudiées, d'œillades entendues.

« Alors voilà !... Quelle raison ai-je de parler,
de faire du tort à un bonhomme qui ne m'a rien
fait ?... Vous voulez me mettre en prison pour
vagabondage ?... Vous oubliez mon poumon !...
On m'enverra à l'infirmerie, puis dans un
sana !... »

Maigret le regardait fixement, sans rien dire.

« Qu'est-ce que vous pensez de trente mille
francs ?... Ce n'est pas cher !... Juste de quoi finir
tranquillement ma vie, qui ne sera plus longue...
Et trente billets, qu'est-ce que ça peut faire au
gouvernement ?... »

Il croyait déjà les tenir. Il exultait. Une quinte
de toux l'interrompit, lui fit monter des larmes
dans les yeux, mais on eût dit des larmes de
triomphe.

Et il se croyait malin ! Il se croyait fort !

« Voilà mon dernier mot ! Trente mille francs et
je dis tout ! Vous pincez le type ! On vous donne
de l'avancement ! On vous félicite dans les journaux ! Autrement, rien ! Je vous défie de mettre la
main sur lui... Pensez que ça remonte à plus de six
ans, qu'il n'y a eu que deux témoins, Lenoir, qui
ne parlera plus, et bibi...

— C'est tout ? questionna Maigret qui était
resté debout.

— Vous trouvez que c'est cher ? »

L'inquiétude effleura l'âme du vagabond, à cause du calme de Maigret, de son visage impassible.

« Vous savez, vous ne me faites pas peur... »

Il s'efforçait de rire.

« Il y a longtemps que je connais la musique !... Vous pouvez même me faire passer à tabac... Par exemple, vous verrez ce que je raconterai après... On lira dans les journaux qu'un malheureux qui n'a plus qu'un poumon...

— C'est tout ?

— Il ne faudrait pas croire non plus que vous découvrirez la vérité tout seul... Alors je dis, moi, que trente mille francs c'est...

— C'est tout ?

— En tout cas, ne comptez pas que je ferai des bêtises. Même si vous me relâchez, je ne suis pas assez bête pour courir chez mon type, ni pour lui écrire, ni pour lui téléphoner... »

La voix n'était plus la même. Victor perdait pied. Il essayait de garder une contenance.

« Pour commencer, je demande un avocat. Vous n'avez pas le droit de me conserver ici plus de vingt-quatre heures et... »

Maigret exhala un petit nuage de fumée, enfonça ses mains dans les poches, sortit, dit à l'homme de garde :

« Fermez ! »

Il enrageait ! Une fois seul, il pouvait le laisser paraître sur son visage. Il enrageait parce qu'un imbécile était là, à portée de sa main, à sa merci, parce que cet imbécile savait tout, mais qu'il n'y avait rien à en tirer !

Justement parce que c'était un imbécile ! Parce qu'il se croyait fort et malin !

Il avait imaginé un chantage ! Le chantage au poumon !

Trois fois, quatre fois au cours de l'entretien, le commissaire avait été sur le point de lui appliquer sa main sur la figure, histoire de le ramener à des réalités plus saines. Il s'était contenu.

Il tenait le mauvais bout ! Aucun texte de loi ne lui donnait prise sur Victor !

C'était un individu taré, qui n'avait jamais vécu que de vols et d'expédients ? N'empêche qu'aucun délit nouveau, sinon celui de vagabondage, ne permettait de le poursuivre !

Et il avait raison, avec son poumon ! Il apitoierait tout le monde ! Il rendrait la police odieuse ! Il obtiendrait des colonnes d'articles passionnés dans certains journaux.

La police passe à tabac un homme à toute extrémité !

Alors, il réclamait tranquillement trente mille francs ! Et il avait raison quand il ajoutait qu'on allait devoir le relâcher !

« Vous lui ouvrirez la porte cette nuit, vers une heure. Vous direz au brigadier Lucas de le suivre et de ne pas le perdre de vue. »

Et Maigret serrait avec force entre ses dents le

tuyau de sa pipe. Le vagabond savait, n'avait qu'un mot à dire !

Il était obligé, lui, d'édifier des hypothèses sur des éléments épars, parfois contradictoires.

« A la taverne Royale ! » lança-t-il à un chauffeur de taxi.

* * *

James n'y était pas. Il n'y vint pas entre cinq et huit heures. A sa banque, le gardien répondit qu'il était parti à la fermeture comme d'habitude.

Maigret dîna d'une choucroute, téléphona à son bureau, vers huit heures trente.

« Le prisonnier n'a pas demandé à me parler ?

— Oui ! Il dit qu'il a réfléchi, que son dernier chiffre est vingt-cinq mille, mais qu'il ne descendra pas en dessous ! Il a fait constater qu'on donnait du pain sans beurre à un homme dans son état et que la température de la cellule ne dépassait pas seize degrés... »

Maigret raccrocha, erra un moment sur les boulevards et, comme la nuit tombait, se fit conduire rue Championnet, au domicile de James.

Une maison vaste comme une caserne, aux appartements moyens habités par des employés, des voyageurs de commerce, des petits rentiers.

« Quatrième à gauche ! »

Il n'y avait pas d'ascenseur et le commissaire gravit lentement l'escalier, recevant parfois, en passant devant une porte, des odeurs de cuisine ou des cris d'enfants.

Ce fut la femme de James qui lui ouvrit. Elle était vêtue d'un assez joli peignoir bleu de roi. Son déshabillé, s'il n'était pas fastueux, n'avait pas l'abandon des déshabillés pauvres.

« Vous voulez parler à mon mari ? »

L'antichambre était grande comme une table. Sur les murs, des photographies de bateaux à voiles, de baigneurs, de jeunes gens et de jeunes femmes en costume de sport.

« C'est pour toi, James ! »

Et elle poussa une porte, entra derrière Maigret, reprit sa place dans un fauteuil, près de la fenêtre, où elle continua un travail de crochet.

Les autres appartements de la maison avaient dû garder leur décoration du siècle dernier, leurs meubles Henri II ou Louis-Philippe.

Ici, au contraire, c'était une atmosphère qui tenait davantage de Montparnasse que de Montmartre. Cela rappelait les Arts décoratifs. Et cela sentait en même temps le travail d'amateur.

Avec du contre-plaqué, on avait dressé des cloisons nouvelles, aux angles inattendus, et la plupart des meubles étaient remplacés par des rayonnages peints de couleurs vives.

Le tapis était uni, d'un vert agressif. Les lampes avaient des abat-jour en imitation de parchemin.

Cela faisait très frais, très pimpant. Mais on avait l'impression que tout cela manquait de

solidité, qu'il était dangereux de s'appuyer aux
murs fragiles et que les peintures au ripolin
n'étaient pas sèches.

On avait l'impression, surtout lorsque James se
levait, que c'était trop petit pour lui, qu'il était
enfermé dans une boîte et qu'il devait se garder
d'y faire le moindre mouvement.

Une porte entrouverte, à droite, laissait voir
une salle de bains où il n'y avait place que pour la
baignoire. Et un placard, en face, constituait toute
la cuisine, avec un réchaud à gaz d'alcool sur une
planche.

James était là, dans un petit fauteuil, cigarette
aux lèvres, un livre entre les mains.

Pourquoi Maigret eut-il la certitude qu'avant
son arrivée il n'y avait aucun contact entre lui et sa
femme ?

Chacun dans son coin ! James lisait. La femme
crochetait. On entendait tramways et autos
déferler dans la rue.

Et c'était tout. Aucune intimité palpable.

Il se levait, tendait la main, esquissait un
sourire gêné, comme pour s'excuser d'être surpris
dans ce lieu.

« Comment ça va, Maigret ? »

Mais cette cordialité familière, qui lui était
habituelle, avait un autre son dans l'appartement
de poupée. Elle détonnait. Elle ne s'harmonisait
pas avec toutes ces petites choses, avec le tapis, les
bibelots modernes posés sur les meubles, les
tentures, les abat-jour joujoux...

« Ça va, merci !

— Asseyez-vous. J'étais en train de lire un roman anglais. »

Et son regard disait clairement :

« Ne faites pas attention !... Ce n'est pas ma faute... Je ne suis pas tout à fait chez moi... »

La femme les épiait, sans abandonner son travail.

« Il y a quelque chose à boire, Marthe ?... lui lança-t-il.

— Tu sais bien que non ! »

Et, au commissaire :

« C'est sa faute ! Quand j'ai des liqueurs ici, il vide les bouteilles en quelques jours ! Il boit déjà assez dehors...

— Dites donc, commissaire, si on descendait au bistrot ?... »

Mais, avant que Maigret eût répondu, James se troublait en regardant sa femme, qui devait lui adresser des signes impératifs.

« C'est comme vous aimez mieux... Moi... »

Il referma son livre en soupirant, changea de place un presse-papier posé sur une table basse.

La pièce n'avait pas quatre mètres de long. Et pourtant on sentait qu'elle était double, que deux vies s'y déroulaient sans la moindre interpénétration.

La femme d'une part, qui arrangeait son intérieur à son goût, cousait, brodait, cuisinait, se taillait des robes...

Et James, qui arrivait à huit heures, devait

manger sans mot dire, lisait en attendant le moment de se coucher sur le divan surchargé de coussins colorés, qui, la nuit, se transformait en lit.

On comprenait mieux le « petit coin personnel » de James, à la terrasse de la taverne Royale, devant un Pernod...

« Descendons, oui !... » dit Maigret.

Et son compagnon se leva précipitamment en soupirant d'aise.

« Vous permettez que je me chausse ? »

Il était en pantoufles. Il se faufila entre la baignoire et le mur. La porte de la salle de bains restait ouverte, mais la femme baissa à peine la voix pour déclarer :

« Il ne faut pas faire attention... Il n'est pas tout à fait comme un autre... »

Elle compta ses points de crochet :

« Sept... huit... neuf... Vous croyez qu'il sait quelque chose au sujet de l'affaire Morsang ?...

— Où est le chausse-pied ?... » grommela James qui bouleversait des objets dans une armoire.

Elle regarda Maigret pour exprimer :

« Vous voyez comme il est ?... »

Et James sortit enfin du cabinet de toilette, parut une fois de plus trop grand pour la pièce, dit à sa femme :

« Je reviens tout de suite !

— Je sais ce que cela veut dire... »

Il faisait signe au commissaire de se presser, craignant sans doute un changement d'idée. Dans l'escalier aussi, il était trop grand, et comme mal assorti au décor.

La première maison à gauche était un bistrot de chauffeurs.

« Il n'y a que celui-ci dans le quartier... »

Une lumière trouble autour du zinc. Quatre joueurs de cartes dans le fond.

« Tiens ! monsieur James, lança le patron en se levant. Comme toujours ? »

Il saisissait déjà la bouteille de fine.

« Et pour vous ce sera ?...

— La même chose... »

Les coudes sur le zinc, James questionnait :

« Vous êtes allé à la taverne Royale ?... Je le pensais bien... Moi, je n'ai pas pu...

— A cause des trois cent mille francs... »

Il ne manifesta aucune surprise, aucune gêne.

« Qu'est-ce que vous auriez fait à ma place ?... Basso est un copain... On a pris cent fois la cuite ensemble... A votre santé !

— Je vous laisse la bouteille ! » dit le patron qui devait avoir l'habitude et qui avait hâte de continuer sa partie de cartes.

Et James continuait sans entendre :

« Au fond, il n'a pas eu de chance... Une femme comme Mado !... A propos, est-ce que vous l'avez revue ?... Elle est venue à mon bureau, tout à l'heure, me demander si je savais où est Marcel... Vous imaginez cela, vous ?... C'est comme l'autre, avec son auto... Un copain aussi, pourtant !... Eh bien, il m'a téléphoné pour me dire qu'il serait forcé de me réclamer le prix de la réparation et une indemnité pour l'immobilisation de la voiture... A ta santé !... Qu'est-ce que tu penses de ma femme ?... Elle est gentille, pas vrai ?... »

Et James se versait un deuxième verre.

LE BROCANTEUR

IL se passait chez James un phénomène curieux qui intéressa Maigret. A mesure qu'il buvait, son regard, au lieu de devenir plus trouble, comme c'est le cas de la plupart des gens, s'aiguisait, au contraire, arrivait à être tout pointu, d'une pénétration, d'une finesse inattendues.

Sa main ne lâchait le verre que pour le remplir. La voix était molle, hésitante, sans conviction. Il ne regardait personne en particulier. Il semblait s'enfoncer dans l'atmosphère, s'y blottir.

Les joueurs de cartes n'échangeaient que quelques mots, au fond de la pièce. Le comptoir d'étain jetait des reflets troubles.

Et trouble était James, qui soupirait :

« C'est drôle... Un homme comme vous, fort, intelligent... Et d'autres, ailleurs !... Des gendarmes avec des uniformes... Des juges... Des tas de gens... Combien y en a-t-il sur pied ?... Peut-être cent, avec des greffiers qui copient les procès-verbaux, les téléphonistes qui transmettent les ordres... Peut-être cent à travailler des jours et des

nuits parce que Feinstein a reçu une toute petite
balle dans la peau... »

Il fixa Maigret un instant et le commissaire fut
incapable de deviner si James faisait de l'ironie
transcendante ou s'il était sincère.

« A ta santé !... Ça vaut bien la peine, n'est-ce
pas ?... Et pendant ce temps-là, ce pauvre bougre
de Basso est traqué... La semaine dernière, il était
riche... Il avait une grosse affaire, une auto, une
femme, un fils... Maintenant, il ne peut pas
seulement sortir de son trou... »

Et James haussait les épaules. Sa voix devenait
plus traînante. Il regardait autour de lui avec
lassitude ou dégoût.

« Qu'est-ce qu'il y a dans le fond de tout ça !...
Une femme comme Mado, qui a besoin d'hommes... Basso s'y laisse prendre... On repousse
rarement des occasions pareilles, pas vrai ?... Elle
est belle fille... Elle a du tempérament... On se dit
que ce n'est pas bien grave... On donne un
rendez-vous et on va passer de temps en temps
une heure ou deux dans une garçonnière... »

James avala une grande gorgée, cracha par
terre.

« Est-ce bête !... Résultat : un mort et toute
une famille qui est fichue !... Et toute la machine
sociale qui se met en mouvement ! Les journaux
qui s'en occupent... »

Le plus curieux, c'est qu'il parlait sans véhé-
mence. Il laissait tomber les mots paresseusement

et son regard errait sur le décor sans s'arrêter à un
objet.

« Et encore atout ! disait triomphalement le
patron derrière lui.

— Et Feinstein qui a passé toute sa vie à courir
après de l'argent, à essayer de faire face à ses
échéances !... Car il n'a jamais fait que ça !... Un
cauchemar continu de traites et de billets à
ordre... Au point de s'adresser avec une insistance
significative aux amants de sa femme... Il est bien
avancé, maintenant qu'il est mort !...

— Qu'il a été tué ! rectifia rêveusement
Maigret.

— Est-ce qu'on pourrait déterminer lequel des
deux a tué l'autre ? »

L'atmosphère devenait plus trouble autour
d'eux. Les paroles de James, son visage empourpré y mettaient comme une sourde morbidesse.

« C'est idiot ! Je vois si bien ce qui s'est passé !
Feinstein qui avait besoin d'argent, qui épiait
Basso depuis la veille au soir en attendant le
moment propice... Même pendant la fausse noce,
quand il était habillé en vieille femme, il pensait à
ses traites !... Il regardait Basso qui dansait avec sa
femme... Vous comprenez ?... Alors, le lendemain, il parle... Basso, qui a déjà été tapé,
refuse... L'autre insiste... Il pleurniche... La
misère !... Le déshonneur !... Plutôt le suicide...
Je vous jure que ça a dû être une comédie dans ce
genre-là... Tout ça par un beau dimanche avec des
canoës sur la Seine !...

« Ah ! c'est malin... Feinstein doit avoir laissé entendre qu'il n'était pas si aveugle qu'il en avait l'air...

« Bref, ils sont tous les deux derrière le hangar... De l'autre côté de l'eau, Basso a sa villa, sa femme, son gamin... Il veut faire taire l'autre... Il veut l'empêcher de tirer... Ils sont énervés...

« Et c'est tout ! Une balle est partie d'un tout petit revolver... »

James regarda enfin Maigret.

« Je vous le demande, hein, qu'est-ce que ça peut bien f...! »

Il rit ! Un rire de mépris !

« Et voilà des centaines de gens qui courent en tous sens comme des fourmis d'une fourmilière où on a mis le feu ! Et les Basso traqués... Et le plus beau : Mado qui se démène, qui ne se résigne pas à perdre son amant !... Patron !... »

Le patron déposa ses cartes à regret.

« Qu'est-ce que je vous dois ?

— En somme, dit Maigret, Basso dispose maintenant de trois cent mille francs... »

James se contenta de hausser les épaules avec l'air de dire à nouveau :

« Qu'est-ce que cela peut bien f... ? »

Et soudain :

« Tenez ! Je me souviens de la façon dont ça a commencé... C'était un dimanche... On dansait dans le jardin de la villa... Basso dansait avec Mme Feinstein et, a certain moment, quelqu'un les a bousculés et ils sont tombés par terre, dans

les bras l'un de l'autre... Tout le monde a ri,
même Feinstein... »

James reprenait sa monnaie, hésitait à s'en
aller, soupirait, résigné :

« Encore un verre, patron ! »

Il en avait bu six et il n'était pas ivre. Il devait
seulement avoir la tête lourde. Il fronçait les
sourcils, se passait la main sur le front.

« Vous, vous allez vous remettre en chasse... »

Il semblait plaindre Maigret.

« Trois pauvres bougres : un homme, une
femme et un gosse, que tout le monde harcèle
parce qu'un beau jour l'homme a couché avec
Mado... »

Était-ce sa voix, sa silhouette, l'ambiance ? En
tout cas, il se créait peu à peu une véritable
obsession et Maigret avait toutes les peines du
monde à voir à nouveau les événements sous un
autre angle.

« A ta santé, va !... Il faut que je remonte, car
ma femme serait bien capable de m'envoyer une
balle de revolver aussi... C'est idiot ! Idiot !... »

Il ouvrit la porte d'un geste las. Sur le trottoir
mal éclairé, il regarda Maigret dans les yeux,
articula :

« Drôle de métier !

— Le métier de policier ?

— Et aussi celui d'homme... Ma femme va
fouiller mes poches, compter la monnaie pour
savoir combien de verres j'ai bus... Au revoir...
Taverne Royale, demain ?... »

Et Maigret resta seul avec son malaise, qu'il mit longtemps à dissiper. C'était un décalage complet de toutes les idées, un renversement de toutes les valeurs. La rue en était déformée, et les gens qui passaient, et le tramway qui s'étirait comme un ver luisant.

Tout cela prenait des proportions de la fourmilière dont James avait parlé. Une fourmilière en effervescence parce qu'une fourmi était morte !

Le commissaire revoyait le corps du chemisier, là-bas, dans les hautes herbes, derrière la guinguette à deux sous ! Puis tous les gendarmes, sur toutes les routes, arrêtant toutes les autos ! La fourmilière en révolution !

« Bougre d'ivrogne ! » grommela-t-il en pensant à James avec une rancune non dénuée d'affection.

Et il faisait un effort pour voir à nouveau les événements avec objectivité. Il en avait oublié ce qu'il était venu faire rue Championnet.

« Essayer de savoir où James était allé avec les trois cent mille francs... »

Mais alors il évoquait les trois Basso, le père, la mère, le gosse, tapis quelque part et guettant les bruits du monde extérieur avec effroi.

« L'imbécile me fait chaque fois boire ! »

Il n'était pas ivre, mais il ne se sentait pas non plus dans son assiette et il se coucha de mauvaise humeur, avec la crainte de se réveiller le lendemain en proie à un solide mal de tête.

« Il faut bien que j'aie mon coin à moi ! » disait
James en parlant de la taverne Royale.

Il avait non seulement son coin à lui, mais son
monde à lui, qu'il créait de toutes pièces, à coups
de Pernod ou de fine dans lequel il évoluait,
impassible, indifférent aux choses réelles.

Un monde un peu flou, un grouillement de
fourmilière, d'ombres inconsistantes où rien
n'avait d'importance, où rien ne servait de rien, et
où l'on marchait sans but, sans effort, sans joie,
sans tristesse, dans un brouillard cotonneux.

Un monde où, sans en avoir l'air, James avec sa
tête de clown et sa voix indifférente, avait fait peu
à peu pénétrer Maigret.

Au point que le commissaire rêva des trois
Basso, le père, la mère et le fils, qui collaient leur
tête au soupirail de la cave où ils étaient cachés en
épiant avec effroi les allées et venues du dehors.

Quand il se leva, il ressentit plus que jamais
l'absence de sa femme, qui était toujours en
vacances, et dont le facteur apporta une carte
postale.

*Nous commençons les confitures d'abricots. Quand
viendras-tu les manger ?*

***

Il s'assit pesamment devant son bureau, fit
crouler la pile de lettres qui l'attendait, cria

« entrez ! » au garçon de bureau qui frappait à la porte.

« Qu'est-ce que c'est, Jean ?

— Le brigadier Lucas a téléphoné pour vous demander de passer rue des Blancs-Manteaux...

— A quelle adresse ?

— Il n'a pas précisé. Il a dit rue des Blancs-Manteaux. »

Maigret s'assura qu'il n'y avait rien d'urgent au courrier, gagna à pied le quartier juif dont la rue des Blancs-Manteaux est l'artère la plus commerçante, groupant la plupart des brocanteurs à l'ombre du mont-de-piété.

Il était huit heures trente du matin. Tout était calme. Au coin de la rue, Maigret aperçut Lucas qui faisait les cent pas, les deux mains dans les poches.

« Et notre homme ? » s'inquiéta-t-il.

Car Lucas avait été chargé de suivre Victor Gaillard lorsque, la veille au soir, celui-ci avait été relâché.

D'un mouvement du menton, le brigadier désigna une silhouette debout devant une vitrine.

« Qu'est-ce qu'il fait là ?

— Je n'en sais rien. Hier, il a commencé par rôder autour des Halles. Il a fini par se coucher sur un banc où il s'est endormi. A cinq heures du matin, un sergent de ville l'a fait circuler et il est venu ici presque immédiatement... Depuis lors, il tourne autour de cette maison, s'éloigne, revient,

colle son visage à la vitrine avec l'intention
évidente de m'intéresser à son manège... »

Victor, qui avait aperçu Maigret, faisait quelques pas, les mains dans les poches, en sifflotant
d'un air ironique. Puis il avisa un seuil sur lequel
il s'assit en homme qui n'a rien de mieux à faire.

Sur la vitrine on lisait : *Hans Goldberg, Achat,
Vente, Occasions en tous genres.*

Et, dans le clair-obscur, on apercevait un petit
homme à barbiche qui semblait inquiet des mouvement anormaux du dehors.

« Attends-moi ! » dit Maigret.

Il traversa la rue, entra dans la boutique, qui
était encombrée de vieux vêtements, d'objets
disparates d'où se dégageait une odeur écœurante.

« Vous désirez acheter quelque chose ? » questionna le petit Juif sans conviction.

Au fond de la boutique, il y avait une porte
vitrée et, derrière, une pièce où une femme obèse
était occupée à laver le visage d'un gamin de deux
à trois ans. La cuvette était sur la table de la
cuisine, à côté des tasses et du beurrier.

« Police ! dit Maigret.

— Je m'en doutais...

— Vous connaissez l'individu qui rôde devant
chez vous depuis ce matin ?

— Le grand maigre qui tousse ?... Je ne l'ai
jamais vu... Tout à l'heure, inquiet, j'ai appelé ma
femme, mais elle ne le connaît pas non plus... Ce
n'est pas un Israélite...

— Et celui-ci, le connaissez-vous ? »

Maigret tendit une photographie de Marcel Basso, que l'autre examina avec attention.

« Ce n'est pas un Israélite non plus ! dit-il.

— Et celui-ci ? »

Cette fois, c'était un portrait de Feinstein.

« Oui !

— Vous le connaissez ?

— Non ! Mais il est de ma race...

— Vous ne l'avez jamais vu ?

— Jamais... Nous sortons si peu !... »

Sa femme lançait de fréquents regards à travers les vitres, sortait un second enfant d'un berceau et celui-ci se mettait à hurler parce qu'on le débarbouillait.

Le brocanteur paraissait assez sûr de lui. Il se frottait lentement les mains l'une contre l'autre en attendant les questions du commissaire et il regardait autour de lui avec la satisfaction d'un commerçant qui n'a rien à se reprocher.

« Il y a longtemps que vous êtes installé ici ?

— Un peu plus de cinq ans... La maison est déjà très connue, car elle ne fait que du travail honnête...

— Et avant vous ? questionna Maigret.

— Vous ne savez pas ?... C'était le père Ulrich, celui qui a disparu... »

Le commissaire eut un soupir de satisfaction. Il pressentait enfin quelque chose.

« Le père Ulrich était brocanteur ?

— Vous devez avoir, à la police, de meilleurs renseignements que moi... Moi, n'est-ce pas, je ne peux rien vous dire de précis... Dans le quartier, on disait qu'il ne se contentait pas de vendre et d'acheter, mais qu'il prêtait de l'argent...

— Un usurier ?

— J'ignore à quel taux il le prêtait... Il vivait tout seul... Il ne voulait pas de commis... Il ouvrait et fermait lui-même ses volets... Un jour, il a disparu et la maison est restée fermée pendant six mois... C'est moi qui l'ai reprise... Et je lui ai donné une autre réputation, vous devez le savoir...

— Si bien que vous n'avez pas connu le père Ulrich ?

— Je n'étais pas à Paris de son temps... Quand j'ai pris la succession, je venais d'Alsace... »

Le gosse pleurait toujours, dans la cuisine, et son frère, qui avait ouvert la porte, regardait Maigret en suçant gravement son doigt.

« Je vous dis tout ce que je sais... Croyez que si j'en savais davantage...

— Bon !... Ça va... »

Et Maigret sortit après un dernier regard autour de lui, trouva le vagabond assis sur son seuil.

« C'est ici que tu voulais m'amener ? »

Et Victor, avec un faux air innocent :

« Où ça ?

— Qu'est-ce que c'est, cette histoire du père Ulrich ?

— Le père Ulrich ?

— Fais pas l'idiot !

— Connais pas, je vous jure...

— C'est lui qui a fait le plongeon dans le canal Saint-Martin ?

— J'sais pas ! »

Maigret haussa les épaules, s'éloigna, dit à Lucas, en passant :

« Continue à le surveiller, à tout hasard. »

Une demi-heure après, il s'était plongé dans de vieux dossiers et il finissait par mettre la main sur celui qu'il cherchait.

Il résuma sur une feuille de papier :

Jacob Ephraïm Lévy, dit Ulrich, soixante-deux ans, originaire de Haute-Silésie, brocanteur rue des Blancs-Manteaux, soupçonné de se livrer régulièrement à l'usure.

Disparaît le 20 mars, mais les voisins ne signalent son absence au commissariat que le 22.

Dans la maison, on ne trouve aucun indice. Rien n'a disparu. Une somme de quarante mille francs est découverte dans le matelas du brocanteur.

Celui-ci, autant qu'on en peut juger, est sorti de chez lui, le 19 au soir, comme cela lui arrivait assez fréquemment.

On manque de renseignements sur sa vie intime. Les recherches faites à Paris et en province n'aboutissent pas. On écrit en Haute-Silésie et, un mois plus tard, une sœur du disparu arrive à Paris et demande à entrer en possession de l'héritage.

Ce n'est qu'après six mois qu'elle obtient un jugement de disparition.

[*]

A midi, Maigret, la tête lourde, achevait, au commissariat de La Villette — le troisième qu'il visitait —, de relever des indications dans de lourds registres.

Et il transcrivait enfin :

Le 1er juillet des mariniers ont retiré du canal Saint-Martin, à la hauteur de l'écluse, un cadavre d'homme en état de décomposition avancée.

Transporté à l'Institut médico-légal il n'a pu être identifié.

Taille : 1,55 m. Age apparent : soixante à soixante-cinq ans.

Les vêtements ont été en grande partie arrachés par le frottement sur le fond et par des hélices de bateaux. On n'a rien retrouvé dans les poches.

Alors Maigret poussa un soupir. Il sortait enfin de l'atmosphère nébuleuse et loufoque que James semblait créer à plaisir autour de l'affaire.

Il tenait des éléments solides.

« C'est le père Ulrich qui a été assassiné voilà six ans et jeté ensuite dans le canal Saint-Martin. »

Pourquoi ? Par qui ?

C'est ce qu'il allait essayer de savoir. Il bourra une pipe, l'alluma avec une lenteur voluptueuse, salua ses collègues du commissariat de La Villette et gagna le trottoir, souriant, sûr de lui, solide sur ses lourdes jambes.

8

LA MAÎTRESSE DE JAMES

L'EXPERT-COMPTABLE entra dans le
bureau de Maigret en se frottant les mains et en
esquissant des œillades.

« Ça y est !

— Qu'est-ce qui y est ?

— J'ai revu hâtivement la comptabilité de la
chemiserie depuis sept ans. C'était facile. Feinstein n'y comprenait rien et faisait venir une ou
deux fois par semaine un petit employé de banque
pour tenir ses livres. Quelques truquages afin de
diminuer les impôts. Un rapide coup d'œil et on
connaît l'affaire à fond : une affaire qui ne serait
pas plus mauvaise qu'une autre si les capitaux ne
manquaient à la base. Les vendeurs payés le 4 ou
le 10 du mois. Les traites renouvelées deux ou
trois fois. Les soldes destinés à faire rentrer coûte
que coûte de l'argent frais dans la caisse. Enfin,
Ulrich ! »

Maigret ne broncha pas. Il savait qu'il valait
mieux laisser parler le petit homme volubile qui se
promenait de long en large dans la pièce.

« Toujours l'histoire classique ! C'est dans les

livres d'il y a sept ans qu'on voit apparaître pour la
première fois le nom d'Ulrich. Prêt de deux mille
francs, un jour d'échéance. Remboursement une
semaine plus tard. A l'échéance suivante, prêt de
cinq mille francs. Vous comprenez ? Le chemisier
a trouvé le moyen de se procurer de l'argent
quand il en a besoin. Il en prend l'habitude. Des
deux mille primitifs, on passe à dix-huit mille six
mois plus tard. Et ces dix-huit mille sont rem-
boursables à vingt-cinq mille... Le père Ulrich est
gourmand... Je dois ajouter que Feinstein est
honnête... Il rembourse toujours... Mais d'une
façon un peu spéciale. Par exemple, il rembourse
quinze mille francs le 15 et il emprunte à nouveau
dix-sept mille le 20... Il les rembourse !e mois
suivant pour en emprunter vingt-cinq mille aussitôt après... Au mois de mars, Feinstein doit
trente-deux mille francs à Ulrich...

— Il les rembourse ?

— Pardon ! Dès ce moment, on ne trouve plus
trace d'Ulrich dans les livres... »

Il y avait à cela une excellente raison : c'est que
le vieux Juif de la rue des Blancs-Manteaux était
mort ! Donc, ce décès avait rapporté à Feinstein la
somme de trente-deux mille francs !

« Qui a remplacé Ulrich par la suite ?

— Personne pendant un certain temps. Un an
plus tard, Feinstein, à nouveau gêné, a demandé
du crédit à une petite banque et l'a obtenu. Mais
la banque s'est lassée.

— Basso ?

— Je trouve son nom dans les derniers livres, non pour des prêts, mais pour des traites de complaisance.

— Et la situation à la date de la mort de Feinstein ?

— Ni meilleure ni pire que d'habitude. Avec une vingtaine de billets, il s'en tirait... jusqu'à l'échéance suivante ! Il y a quelques milliers de commerçants, à Paris, qui sont exactement dans le même cas et qui, des années durant, courent après la somme qui leur manque toujours en évitant la faillite de justesse... »

Maigret s'était levé, avait pris son chapeau.

« Je vous remercie, monsieur Fleuret.

— Est-ce que je dois pousser l'expertise plus à fond ?

— Pas pour le moment. »

Tout allait bien. L'enquête avançait avec une régularité mécanique. Et, dès lors, par contraste, Maigret avait un air bourru, comme s'il se fût méfié de cette facilité même.

« Pas de nouvelles de Lucas ? alla-t-il demander au garçon de bureau.

— Il a téléphoné tout à l'heure. L'homme que vous savez s'est présenté à l'Armée du Salut et a demandé un lit. Depuis lors, il dort. »

Il s'agissait de Victor, qui n'avait pas un sou en poche. Est-ce qu'il espérait toujours toucher trente mille francs en échange du nom de l'assassin du père Ulrich ?

Maigret suivit les quais à pied. En passant

devant un bureau de poste, il hésita, finit par
entrer, remplit une formule télégraphique.

Arriverai probablement jeudi, stop. Baisers à tous.

On était le lundi. Depuis le début des vacances,
il n'avait pas encore pu rejoindre sa femme en
Alsace. Il sortit en bourrant une pipe, eut l'air
d'hésiter à nouveau, héla enfin un taxi à qui il jeta
l'adresse du boulevard des Batignolles.

Il avait quelques centaines d'enquêtes à son
actif. Il savait que presque toutes se font en deux
temps, comportent deux phases différentes.

D'abord la prise de contact du policier avec une
atmosphère nouvelle, avec des gens dont il n'avait
jamais entendu parler la veille, avec un petit
monde qu'un drame vient d'agiter.

On entre là-dedans en étranger, en ennemi. On
se heurte à des êtres hostiles, rusés ou hermétiques.

La période la plus passionnante, d'ailleurs, aux
yeux de Maigret. On renifle. On tâtonne. On n'a
aucun point d'appui, souvent aucun point de
départ.

On regarde des gens s'agiter et chacun peut être
le coupable ou un complice.

Brusquement on saisit un bout du fil et voilà la
seconde période qui commence. L'enquête est en
train. L'engrenage est en mouvement. Chaque
pas, chaque démarche apporte une révélation

nouvelle et presque toujours le rythme s'accélère pour finir par une révélation brutale.

Le policier n'est plus seul à agir. Les événements travaillent pour lui, presque en dehors de lui. Il doit les suivre, sans se laisser dépasser.

Il en était ainsi depuis la découverte Ulrich. Le matin encore, Maigret n'avait aucune indication sur l'identité de la victime du canal Saint-Martin.

Maintenant, il savait que c'était un brocanteur doublé d'un usurier, à qui le chemisier devait de l'argent.

Il fallait suivre le fil. Un quart d'heure plus tard, le commissaire sonnait à la porte de l'appartement des Feinstein, au cinquième étage d'une maison du boulevard des Batignolles. Une servante, aux cheveux défaits, à l'air stupide, vint lui ouvrir, se demanda si elle devait l'introduire ou non.

Mais au même instant, au portemanteau de l'antichambre, Maigret apercevait le chapeau de James.

Était-ce le mouvement en avant qui se précipitait, ou, au contraire, y avait-il une dent cassée dans l'engrenage ?

« Madame est ici ? »

Il profita de la timidité de la domestique, qui devait arriver tout droit de sa campagne, et il entra, se dirigea vers une porte derrière laquelle on entendait des bruits de voix, frappa, ouvrit aussitôt.

Il connaissait déjà l'appartement, pareil à la plupart des appartements de petits bourgeois du quartier. Dans un salon au divan étroit, aux fragiles fauteuils à pieds dorés, il aperçut tout d'abord James, debout devant la fenêtre, le regard perdu dans la contemplation de la rue.

Mme Feinstein était habillée pour sortir, tout en noir, un petit chapeau de crêpe très coquet sur la tête. Et elle paraissait extrêmement animée.

Par contre, elle ne manifesta nulle contrariété à la vue de Maigret, tandis que James tournait vers celui-ci un visage ennuyé, un peu gêné aussi.

« Entrez, monsieur le commissaire... Vous n'êtes pas de trop... J'étais justement en train de dire à James qu'il est stupide...

— Ah ! »

Cela sentait la scène de ménage. James murmura sans conviction, sans espoir :

« Allons, Mado...

— Non ! Tais-toi !... Je parle en ce moment au commissaire... »

Alors, résigné, l'Anglais regarda à nouveau la rue, où il ne devait apercevoir que les têtes des passants.

« Si vous étiez un policier ordinaire, monsieur le commissaire, je ne vous parlerais pas comme je le fais... Mais vous avez été notre invité à Morsang... Et on voit bien que vous êtes un homme capable de comprendre... »

Et elle une femme capable de parler des heures durant ! Capable de prendre tout le monde à témoin ! Capable de réduire le plus bavard au silence !

Elle n'était ni belle ni jolie. Mais elle était appétissante, surtout dans ses vêtements de deuil qui, au lieu de lui donner un aspect triste, la rendaient plus croustillante.

Une femme bien en chair, bien vivante, qui devait être une maîtresse tumultueuse.

Le contraste était violent avec James et son visage ennuyé, son regard toujours un peu vague, sa silhouette flegmatique.

« Tout le monde sait que je suis la maîtresse de Basso, n'est-ce pas ?... Je n'en ai pas honte !... Je ne l'ai jamais caché... Et, à Morsang, il n'y a eu personne pour m'en faire le reproche... Si mon mari avait été un autre homme... »

Elle reprenait à peine haleine.

« Quand on n'est pas capable de faire face à ses affaires !... Regardez le taudis où il me faisait vivre !... Et remarquez qu'il n'y était jamais !... Ou, quand il y était, le soir, après dîner, c'était pour me parler de ses soucis d'argent, de la chemiserie, des employés, que sais-je ?... Eh bien, je prétends, moi, que quand on n'est pas de taille à rendre une femme heureuse, on n'a rien à lui reprocher ensuite...

« D'ailleurs, Marcel et moi devions nous marier un jour ou l'autre... Vous ne le saviez pas ?... Bien entendu, on ne le criait pas sur les toits... Ce qui

l'arrêtait encore, c'était son fils... Il aurait
divorcé... J'en aurais fait autant de mon côté et...

« Vous avez vu Mme Basso ?... Ce n'est pas la
femme qu'il faut à un homme comme Marcel... »

Dans son coin, James soupirait et fixait maintenant le tapis à fleurs.

« Voulez-vous me dire quel est mon devoir ?
Marcel est malheureux ! il est poursuivi ! Il doit
passer à l'étranger... Et ma place ne serait pas
auprès de lui ?... Dites ?... Parlez franchement...

— Heu ! Heu !... se contenta de grommeler
Maigret sans se compromettre.

— Vous voyez !... Tu vois, James !... Le commissaire est de mon avis... Tant pis pour le monde
et le qu'en-dira-t-on... Eh bien, commissaire,
James refuse de me dire où est Marcel... Or, il le
sait, j'en suis sûre... Il n'ose même pas le nier. »

Si Maigret n'avait déjà vu quelques femmes de
ce calibre dans sa vie, il en eût sans doute été
suffoqué. Mais l'inconscience ne l'étonnait plus.

Il y avait moins de deux semaines que Feinstein
avait été tué par Basso autant qu'on pouvait en
juger.

Et là, dans l'appartement morne où il y avait au
mur le portrait du chemisier, et son fume-
cigarette dans un cendrier, sa femme parlait de
son devoir.

Le visage de James était d'une éloquence
inouïe. Et pas seulement son visage ! Ses épaules !
Son attitude ! Son dos rond. Tout cela signifiait :

« Quelle femme !... »

Elle se tournait vers lui.

« Tu vois que le commissaire...

— Le commissaire n'a rien dit du tout.

— Tiens ! tu me dégoûtes ! Tu n'es pas un homme ! Tu as peur de tout ! Si je disais pourquoi tu es venu ici aujourd'hui... »

L'événement était si inattendu que James redressa d'abord la tête, tout rouge. Et il avait rougi comme un enfant. Le visage s'était empourpré d'un seul coup, les oreilles étaient devenues couleur de sang.

Il voulut dire quelque chose. Il en fut incapable. Il essaya de se ressaisir et il parvint enfin à émettre un petit rire pénible.

« Maintenant, autant le dire tout de suite... »

Maigret observa la femme. Elle était un peu gênée de la phrase qui lui avait échappé.

« Je n'ai pas voulu...

— Non ! tu ne veux jamais rien... N'empêche que... »

Le salon paraissait plus petit, plus intime. Mado haussait les épaules avec l'air de dire :

« Et puis après ! tant pis pour toi... »

« Pardon ! intervint alors le commissaire, dont les yeux riaient en s'adressant à James. Il y a longtemps que vous vous tutoyez ?... Il me semblait qu'à Morsang... »

Et il avait peine à garder son sérieux, tant était grand le contraste entre le James qu'il connaissait et celui qu'il avait devant lui. Celui-ci avait l'air d'un écolier timide qu'on prend en faute.

Chez lui, dans le studio où sa femme crochetait, James gardait une certaine allure, renfrogné dans son isolement.

Ici, il était prêt à bafouiller.

« Bah ! Vous avez déjà compris, n'est-ce pas ?... J'ai été l'amant de Mado, moi aussi...

— Heureusement que ça n'a pas duré ! » ricana-t-elle.

Et il fut troublé par cette riposte. Son regard chercha un secours en Maigret.

« C'est tout... Il y a assez longtemps... Ma femme ne se doute de rien.

— Avec ça qu'elle te dit tout ce qu'elle pense !

— ... Comme je la connais, ce seraient des reproches pendant toute notre vie... Alors, je suis venu demander à Mado, au cas où elle serait questionnée, de ne pas dire...

— Et elle a promis ?

— A condition que je lui donne l'adresse actuelle de Basso... Concevez-vous ça ?... Il est avec sa femme, son gosse... Sans doute a-t-il déjà franchi la frontière... »

Le ton de cette dernière phrase fut moins ferme, prouvant que James mentait consciencieusement.

Maigret s'était assis dans un petit fauteuil qui craquait sous lui.

« Vous êtes restés amants longtemps ? questionna-t-il d'un air bonhomme.

— Trop ! lança Mme Feinstein.

— Pas longtemps... Quelques mois... soupira James.

— Et vous vous rencontriez dans un meublé comme celui de l'avenue Niel ?

— Non ! James avait loué une garçonnière du côté de Passy !

— Vous alliez déjà chaque dimanche à Morsang ?

— Oui...

— Et Basso aussi ?

— Oui... La bande est la même depuis sept ou huit ans, à quelques exceptions près...

— Et Basso savait que vous étiez amants ?

— Oui... Il n'était pas encore amoureux... Cela lui a pris il y a seulement un an... »

Maigret, malgré lui, avait un air de jubilation intense. Il regardait le petit appartement autour de lui, avec tous ses bibelots, inutiles et plus ou moins affreux. Il se souvenait du studio de James, plus prétentieux, plus moderne avec ses cloisons de contre-plaqué paraissant faites pour des poupées.

Morsang enfin, le Vieux-Garçon, les canoës, les petits bateaux à voile et les tournées générales, sur la terrasse ombragée, dans un décor d'une douceur irréelle.

Depuis sept ou huit ans, tous les dimanches, les mêmes gens prenaient l'apéritif à la même heure, jouaient au bridge l'après-midi, dansaient au son du phonographe.

Mais, au début, c'était James qui s'enfonçait

dans le parc en compagnie de Mado. C'était lui sans doute que Feinstein regardait d'un air sarcastique, lui encore qui la retrouvait en semaine dans Paris.

Tout le monde le savait, fermait les yeux, aidait à l'occasion les amants.

Y compris Basso qui, un beau jour, tombait amoureux à son tour et prenait la suite !

Du coup, la situation, dans l'appartement, devenait beaucoup plus savoureuse et l'attitude piteuse de James, et l'assurance de Mado !

C'est à celle-ci que Maigret s'adressa.

« Il y a combien de temps que vous n'êtes plus la maîtresse de James ?

— Attendez... Cinq... Non... A peu près six ans...

— Comment cela s'est-il terminé ?... Est-ce lui, est-ce vous qui... ? »

James voulut parler, mais elle lui coupa la parole.

« Tous les deux... On s'est aperçus qu'on n'était pas faits l'un pour l'autre... Malgré ses airs, James a un caractère de petit bourgeois maniaque, peut-être encore plus bourgeois que mon mari...

— Et vous êtes restés bons amis ?

— Pourquoi pas ?... Ce n'est pas parce qu'on ne s'aime plus qu'il faut...

— Une question, James ! A cette époque vous est-il arrivé de prêter de l'argent à Feinstein ?

— Moi ? »

Mais ce fut Mado qui répondit :

« Qu'est-ce que vous voulez dire ?... Prêter de l'argent à mon mari ?... Pourquoi ?...

— Rien... Une idée qui m'est passée par la tête, comme ça... Pourtant, Basso en a prêté...

— Ce n'est pas la même chose !... Basso est riche !... Mon mari avait des embarras momentanés... Il parlait de partir en Amérique avec moi. Alors pour éviter des complications, Basso a...

— Je comprends ! Je comprends ! Mais, par exemple, votre mari aurait pu parler de partir en Amérique voilà six ans, quand...

— Qu'est-ce que vous voulez insinuer ? »

Elle était prête à s'indigner. Et, à l'idée d'une scène de vertu outragée, Maigret préféra faire dévier l'entretien.

« Excusez-moi... Je pense à haute voix... Croyez surtout que je ne veux rien insinuer du tout... James et vous étiez libres... C'est ce que me disait un ami de votre mari, Ulrich... »

Les yeux mi-clos, il les observait tous les deux. Mme Feinstein regarda Maigret avec étonnement.

« Un ami de mon mari ?

— Ou une relation d'affaires...

— Plutôt cela, car je n'ai jamais entendu ce nom-là... Qu'est-ce qu'il vous disait ?...

— Rien... Nous parlions des hommes et des femmes en général... »

Et James regardait le commissaire avec un certain étonnement, en homme qui flaire quelque chose, qui essaie de deviner où son interlocuteur veut en venir.

« N'empêche qu'il sait où est Marcel et qu'il refuse de me le dire ! reprit Mme Feinstein en se levant. Mais je le trouverai bien moi-même ! Et, d'ailleurs, je suis certaine qu'il va m'écrire pour me demander d'aller le rejoindre. Il ne peut pas vivre sans moi... »

James risqua une œillade à l'adresse de Maigret, une œillade ironique, certes, mais surtout lugubre. On pouvait la traduire par :

« Vous imaginez s'il va lui écrire, pour qu'elle lui tombe à nouveau sur le dos !... Une femme comme elle !... »

Et elle l'interpellait :

« C'est ton dernier mot, James ? C'est là ta reconnaissance pour tout ce que j'ai fait pour toi ?...

— Vous avez fait beaucoup pour lui ? questionna Maigret.

— Mais... il a été mon premier amant !... Avant lui, je n'imaginais même pas que je pourrais tromper mon mari... Remarquez que, depuis lors, il a changé... Il ne buvait pas encore... Il se soignait... Il avait des cheveux... »

Et l'aiguille de la balance continuait ainsi à osciller entre le tragique et le bouffon. Il fallait faire un effort pour se souvenir qu'Ulrich était mort, que quelqu'un l'avait porté jusqu'au canal Saint-Martin, que six ans plus tard, derrière le hangar de la guinguette à deux sous, Feinstein avait été tué d'une balle et que Basso, avec toute sa famille, était en fuite, traqué par la police.

« Est-ce que vous croyez qu'il a pu gagner la frontière, commissaire ?

— Je ne sais pas... Je...

— Au besoin vous... vous l'y aideriez, n'est-ce pas ?... Vous avez été reçu chez lui aussi... Vous avez pu l'apprécier...

— Il faut que j'aille à mon bureau ! L'heure est déjà passée ! dit James, en cherchant son chapeau sur toutes les chaises.

— Je sors en même temps que vous... » se hâta de prononcer Maigret.

Car il ne voulait surtout pas rester en tête à tête avec Mme Feinstein.

« Vous êtes pressé ?

— C'est-à-dire que j'ai à faire, oui... Mais je reviendrai...

— Vous verrez que Marcel saura vous marquer sa reconnaissance de ce que vous ferez pour lui... »

Elle était fière de sa diplomatie. Elle voyait très bien Maigret conduisant Basso à la frontière et recevant avec gratitude quelques billets de mille francs en échange de sa complaisance.

D'ailleurs, quand il lui tendit la main, elle la serra longuement, d'une façon qui voulait être significative. Et, montrant James, elle murmura :

« On ne peut pas trop lui en vouloir... Depuis qu'il boit !... »

* * *

Les deux hommes descendaient sans rien dire le boulevard des Batignolles. James, tout en marchant à grands pas, regardait par terre devant lui. Maigret fumait sa pipe à petites bouffées gourmandes et paraissait savourer le spectacle de la rue.

Au coin du boulevard Malesherbes seulement, le commissaire questionna comme sans y attacher d'importance :

« C'est vrai que Feinstein ne vous a jamais demandé de service d'argent ? »

James haussa les épaules.

« Il savait bien que je n'en avais pas !

— Vous étiez à la banque de la place Vendôme ?

— Non ! J'étais traducteur dans une maison américaine d'huiles de pétrole, boulevard Haussmann... Je ne me faisais pas tout à fait mille francs par mois...

— Vous aviez une voiture ?

— Je prenais le métro, oui !... Comme je le prends encore, d'ailleurs !...

— Vous aviez déjà votre appartement ?

— Même pas ! Nous étions en meublé, rue de Turenne... »

Il était las. Il y avait comme du dégoût dans l'expression de son visage.

« On boit quelque chose ? »

Et, sans attendre de réponse, il entra au bar du coin, commanda deux fines à l'eau.

« Moi, ça m'est égal, vous comprenez ?... Mais

ce n'est pas la peine d'embêter ma femme... Elle a déjà assez de soucis comme ça...

— Elle n'est pas bien portante ? »

Nouveau haussement d'épaules.

« Si vous croyez que sa vie est drôle !... A part le dimanche, à Morsang, où elle s'amuse un peu... »

Et, sans transition, après avoir jeté un billet de dix francs sur le comptoir :

« Vous venez ce soir à la taverne Royale ?

— C'est possible... »

Au moment de serrer la main de Maigret, il hésita, finit par murmurer en regardant ailleurs :

« Pour Basso... On n'a rien trouvé ?...

— Secret professionnel ! répliqua Maigret avec un sourire plein de bonhomie. Vous l'aimez bien ? »

Mais James s'en allait déjà, maussade, sautait sur la plate-forme d'un autobus en marche dans la direction de la place Vendôme.

Maigret resta seul au moins cinq minutes immobile, à fumer, au bord du trottoir.

9

VINGT-DEUX FRANCS DE JAMBON

Quai des Orfèvres, on cherchait Maigret partout, car la gendarmerie de La Ferté-Allais venait de télégraphier :

Famille Basso retrouvée, attendons instructions.

Et c'était un beau cas de travail scientifique aidé par le hasard.

Travail scientifique d'abord : l'examen que Maigret avait ordonné de l'auto abandonnée par James à Montlhéry, examen qui avait circonscrit les recherches dans un tout petit secteur ayant La Ferté-Allais pour centre.

Ici, le hasard intervenait, dans des circonstances piquantes. C'est en vain que les gendarmes avaient fouillé les auberges et observé les passants. C'est en vain qu'on avait interrogé une bonne centaine d'habitants.

Or, ce jour-là, au moment où le brigadier Piquart rentrait chez lui pour déjeuner, sa femme, qui allaitait un bébé, lui dit :

« Tu devrais aller chercher des oignons à l'épi-
cerie. Je les ai oubliés... »

Une boutique de petite ville, place du marché.
Il y avait quatre ou cinq commères. Le gendarme,
qui n'aimait pas ce genre de mission, se tenait près
de la porte, l'air dégagé. Comme on servait une
vieille femme, connue sous le nom de mère
Mathilde, il entendit la marchande qui disait :

« Il me semble que vous vous soignez, depuis
quelque temps ! Vingt-deux francs de jambon ! Et
vous allez manger cela toute seule ? »

Machinalement, Piquart regarda la vieille, dont
la pauvreté était évidente. Et, tandis qu'on décou-
pait le jambon, son esprit travailla. Même chez
lui, où ils étaient trois, on n'achetait jamais pour
vingt-deux francs de jambon.

Il sortit derrière la femme. Celle-ci habitait au
bout de la ville, sur la route de Ballancourt, une
petite maison entourée d'un jardinet où picoraient
des poules. Il la laissa pénétrer chez elle. Puis il
frappa et entra d'autorité.

Mme Basso, la taille ceinte d'un tablier, s'affairait devant le feu. Dans un coin, sur une chaise de
paille, Basso lisait le journal qu'on venait de lui
apporter et le gamin, assis par terre, jouait avec un
chiot.

On avait téléphoné boulevard Richard-Lenoir,
au domicile de Maigret, puis à divers endroits où

il était susceptible de se trouver. On ne pensa pas à s'adresser à la maison Basso, quai d'Austerlitz.

C'est là pourtant qu'il s'était rendu en quittant James. Il était de bonne humeur. La pipe aux dents, les mains dans les poches, il plaisantait avec les employés qui, faute d'instructions, continuaient le travail comme par le passé. Et dans les chantiers on chargeait et l'on déchargeait le charbon que des péniches apportaient chaque jour.

Les bureaux n'étaient pas modernes. Ils n'étaient pas vieillots non plus et il suffisait d'examiner la disposition des locaux pour se rendre compte de l'atmosphère dans laquelle on y vivait.

Pas de bureau particulier pour le patron. Sa place était dans un coin, près de la fenêtre. En face de lui, il avait le chef comptable, et sa dactylo était à une table voisine.

Peu de hiérarchie, c'était évident. On ne devait pas se gêner pour bavarder et les employés travaillaient, la pipe ou la cigarette aux lèvres.

« Un répertoire d'adresses ? avait répondu le comptable à la demande du commissaire. Bien entendu, nous en avons un, mais il ne contient que les adresses de nos clients, par ordre alphabétique. Si vous voulez le voir... »

Maigret y jeta un coup d'œil à tout hasard, à la lettre U, mais, comme il s'y attendait, il n'y trouva pas le nom d'Ulrich.

« Vous êtes sûr que M. Basso n'avait pas un

petit répertoire personnel ?... Attendez donc ! Qui
était ici quand son fils est né ?

— Moi ! répondit la dactylo, non sans un rien
de gêne, car elle avait trente-cinq ans et voulait en
paraître vingt-cinq.

— Bon ! M. Basso a dû envoyer des faire-part.

— C'est moi qui m'en suis chargée.

— Il vous a donc donné une liste de ses amis.

— Un petit carnet, oui ! dit-elle. C'est exact !
Je l'ai même ensuite classé dans le dossier personnel.

— Et où est ce dossier ? »

Elle hésita, regarda ses collègues pour leur
demander conseil. Le chef comptable répondit
d'un geste qui signifiait :

« Je pense qu'il n'y a rien d'autre à faire... »

« C'est chez lui... dit-elle alors. Voulez-vous me
suivre ? »

On traversa les chantiers. Au rez-de-chaussée
de la maison, meublée très simplement, il y avait
un bureau qui ne devait jamais servir et qu'on
appelait d'ailleurs la bibliothèque.

Bibliothèque de gens pour qui la lecture n'est
qu'une distraction de second plan. Bibliothèque
de famille aussi, où viennent s'entasser des choses
inattendues.

Par exemple, il y avait encore, sur les rayons du
bas, les prix gagnés par Basso lorsqu'il était au
collège. Puis toute une collection reliée du *Maga-
zine des Familles* d'il y a cinquante ans.

Des livres pour jeunes filles, que Mme Basso

avait dû apporter lors de son mariage. Puis des
romans à couverture jaune, achetés sur la foi de la
publicité des journaux.

Enfin des livres illustrés plus neufs, appartenant au gamin, des jouets installés sur les rayons
restés libres.

La secrétaire ouvrit les tiroirs du bureau et
Maigret lui désigna une grosse enveloppe jaune
qui était fermée.

« Qu'est-ce que c'est ?

— Les lettres de monsieur à madame quand ils
étaient fiancés.

— Vous avez le carnet ? »

Elle le trouva, au fond d'un tiroir où il y avait
une dizaine de vieilles pipes. Le carnet avait
quinze ans pour le moins. On n'y trouvait que
l'écriture de Basso, mais cette écriture avait
changé avec le temps, de même que l'intensité de
l'encre.

C'était un peu comme les couches de varech au
bord de la mer, révélant par leur degré de
sécheresse la marée qui les a apportées.

Des adresses étaient là depuis quinze ans, des
adresses de camarades sans doute oubliés. Certaines étaient raturées, peut-être à la suite d'une
dispute ou d'un décès.

Il y avait des adresses de femmes. L'une était
caractéristique :

Lola, bar des Églantiers, 18, rue Montaigne.

Mais un trait de crayon bleu avait supprimé Lola de la vie de Basso.

« Vous trouvez ce que vous cherchez ? » s'informa la secrétaire.

Il trouvait, oui ! Une adresse honteuse, puisque le marchand de charbon n'avait pas osé écrire le nom en entier.

Ul. 13 bis, *rue des Blancs-Manteaux.*

L'encre appartenait à la couche des adresses anciennes, l'écriture aussi. Et, comme certaines autres, elle avait reçu un bon coup de crayon bleu, qui n'empêchait pourtant pas de lire.

« Pouvez-vous me dire vers quelle époque ces mots ont été écrits ? »

La secrétaire se pencha, répliqua :

« C'était encore du temps où M. Basso était jeune homme et où son père vivait toujours...

— A quoi le voyez-vous ?

— Parce que c'est la même encre que l'adresse de femme de l'autre page... Et il m'a dit un jour que c'était une aventure de jeunesse... »

Maigret referma le calepin, le glissa dans sa poche, tandis que la secrétaire lui lançait un regard de reproche.

« Vous croyez qu'il reviendra ?... » questionna-t-elle après un moment d'hésitation.

Le commissaire répondit par un geste évasif.

Quand il arriva au quai des Orfèvres, Jean, le garçon de bureau, courut au-devant de lui.

« Il y a deux heures qu'on vous cherche ! Les Basso sont retrouvés.

— Ah !... »

Et il soupirait avec enthousiasme, à regret même, eût-on dit.

« Lucas n'a pas téléphoné ?

— Il téléphone toutes les trois ou quatre heures. L'homme est toujours à l'Armée du Salut. Comme on voulait le mettre dehors après lui avoir donné à manger, il s'est offert pour balayer les locaux...

— L'inspecteur Janvier est ici ?

— Je crois qu'il vient de rentrer. »

Maigret alla trouver Janvier dans son bureau.

« Une mission bien embêtante comme tu les aimes, vieux. Il faudrait essayer de me retrouver une certaine Lola qui, il y a dix ou quinze ans, se faisait écrire au bar des Églantiers, rue Montaigne...

— Et depuis lors ?

— Elle est peut-être morte à l'hôpital ! Elle a peut-être épousé un lord anglais... Débrouille-toi !... »

Dans le train qui le conduisait à La Ferté-Allais, il compulsa le carnet d'adresses, avec parfois un sourire attendri, car il y avait certaines mentions qui suffisaient à évoquer toute une jeunesse d'homme.

* *

Le lieutenant de gendarmerie était à la gare. Il conduisit lui-même le commissaire à la maison de la vieille Malthilde et l'on aperçut, dans le jardinet, Piquart qui montait gravement la garde.

« On s'est assurés qu'il n'y a pas de moyen de fuir par-derrière..., expliqua le lieutenant. Et il fait si petit là-dedans que mon factionnaire est resté dehors... J'entre avec vous ?...

— Il vaut peut-être mieux que non. »

Maigret frappa à la porte, qui s'ouvrit aussitôt. Il était tard. Dehors, il faisait encore clair, mais la fenêtre était si étroite que, dans la bicoque, on ne voyait guère que des ombres qui bougeaient.

Basso, à califourchon sur une chaise, dans la pose d'un homme qui attend depuis de longues heures, se leva. Sa femme, qu'on n'apercevait pas, devait se tenir dans la pièce voisine avec le gamin.

« Voulez-vous allumer ? » dit Maigret à la vieille.

Et celle-ci, d'une voix aigrelette :

« Faudrait d'abord voir si j'ai du pétrole ! »

Elle en avait, d'ailleurs ! Le verre de la lampe cliqueta, la mèche fuma, se couronna d'une flamme jaunâtre qui éclaira peu à peu tous les recoins de ses rayons.

Il faisait très chaud. Et cela sentait la pauvreté en même temps que la campagne.

« Vous pouvez vous rasseoir ! dit Maigret à Basso. Vous, la vieille, passez donc à côté.

— Et ma soupe ?

— Allez ! Je m'en occuperai. »

Elle s'en alla en grognant, referma la porte, parla à voix basse, dans la chambre voisine.

« Il n'y a que ces deux pièces ? questionna alors le commissaire.

— Oui. Derrière, c'est la chambre à coucher.

— Vous y avez dormi tous les trois ?

— Les deux femmes et mon fils. Moi, je couchais ici, sur une botte de paille... »

Il y en avait encore des brins entre les carreaux inégaux. Basso était très calme, mais d'un calme qui succédait à plusieurs jours de fièvre. On eût dit que son arrestation l'avait soulagé, et d'ailleurs il se hâta de le proclamer.

« J'allais quand même me rendre ! »

Il devait s'attendre à la surprise de Maigret, mais il n'en fut rien. Le commissaire ne releva même pas le mot. Il regardait son interlocuteur des pieds à la tête.

« Ce n'est pas un complet de James ? »

Un complet gris, trop étroit. Or, Basso avait de larges épaules, un torse aussi puissant que celui de Maigret. Peu de choses peuvent amoindrir l'aspect d'un être dans la force de l'âge comme un vêtement étriqué.

« Puisque vous le savez...

— Je sais beaucoup de choses encore... Mais..., vous êtes sûr que cette soupe doive continuer à bouillir ?... »

Il se dégageait de la casserole une vapeur insupportable et le couvercle ne cessait de danser.

Maigret retira la soupe du feu, fut éclairé un instant par les flammes rougeâtres.

« Vous connaissiez la vieille Mathilde ?

— J'allais vous en parler et vous demander, si c'est possible, qu'elle ne soit pas inquiétée a cause de moi... C'est une ancienne domestique de mes parents... Elle m'a connu tout petit... Quand je suis arrivé chez elle pour m'y cacher, elle n'a pas osé refuser...

— Bien entendu ! Et elle a commis la gaffe d'aller acheter pour vingt-deux francs de jambon... »

Basso avait considérablement maigri. Il est vrai qu'il n'était pas rasé de quatre ou cinq jours, ce qui le rendait patibulaire.

« Je suppose aussi, soupira-t-il, que ma femme n'a rien à voir avec la Justice... »

Il se leva, gauche, emprunté, comme un homme qui cherche une contenance avant d'aborder un grave sujet.

« J'ai commis la faute de fuir, de rester caché aussi longtemps... Et cela indique déjà que je ne suis pas un criminel... Vous me comprenez ?... J'ai été affolé... J'ai vu toute mon existence brisée à cause de cette stupide affaire... Mon idée a été de gagner l'étranger, d'y faire venir ma femme et mon fils, de recommencer une vie...

— Et vous avez chargé James d'amener votre femme ici, d'aller toucher pour vous trois cent mille francs à la banque et de vous apporter des vêtements...

— Évidemment !

— Seulement, vous avez senti que vous étiez traqué...

— C'est la vieille Mathilde qui m'a dit qu'on se heurtait à des gendarmes à chaque carrefour... »

On entendait toujours du bruit, à côté. Le gamin devait se remuer. Peut-être Mme Basso écoutait-elle à la porte, car de temps en temps elle faisait : « Chut !... chut !... » parce que son fils l'empêchait d'entendre.

« Ce midi, j'ai envisagé la seule solution possible : me rendre... Mais il était écrit que je me rencontrerais toujours avec la fatalité... Le gendarme est arrivé...

— Vous n'avez pas tué Feinstein ? »

Basso regarda Maigret dans les yeux ardemment.

« Je l'ai tué ! articula-t-il à voix basse. Ce serait de la folie, n'est-ce pas ? de prétendre le contraire. Mais je vous jure sur la tête de mon fils, que je vais vous dire toute la vérité...

— Un instant... »

Et Maigret se leva à son tour. Ils étaient là deux hommes, à peu près de la même taille, sous un plafond bas, dans une pièce trop petite pour eux.

« Vous aimiez Mado ? »

Une moue pleine de rancœur souleva les lèvres de Basso.

« Vous n'avez pas compris ça, vous, un homme ?... Il y a six ou sept ans que je la connais, peut-être davantage... Jamais je n'avais pensé à

elle... Un jour, voilà un an, je ne sais pas au juste
ce qui s'est passé... Tenez ! c'était une fête dans le
genre de celle à laquelle vous avez assisté... On
buvait... On dansait... Il m'est arrivé de l'embrasser... Puis, au fond du jardin...

— Et après ? »

Il haussa les épaules avec lassitude.

« Elle a pris cela au sérieux. Elle m'a juré
qu'elle m'avait toujours aimé, qu'elle ne pourrait
plus se passer de moi ! Je ne suis pas un saint.
J'avoue que j'ai commencé ! Mais je ne voulais pas
nouer une liaison de cette sorte, ni surtout
compromettre mon ménage...

— Il y a un an, donc, que vous voyez
Mme Feinstein deux ou trois fois par semaine, à
Paris...

— Et qu'elle me téléphone tous les jours, oui !
Je lui ai prêché en vain la prudence ! Elle inventait
des ruses ridicules. Je vivais avec la certitude
qu'un jour ou l'autre tout serait découvert... Vous
ne pouvez pas vous imaginer cela !... Si seulement
elle n'avait pas été sincère ! Mais non ! je crois
qu'elle m'aimait vraiment...

— Et Feinstein ? »

Basso redressa vivement la tête.

« Oui ! grogna-t-il. C'est bien pour cela que je
n'imaginais même pas la possibilité d'aller me
défendre en cour d'assises... Il y a des limites aux
compromissions... Il y a des limites aussi à la
compréhension du public... Me voyez-vous, moi,
l'amant de Mado, accusant son mari de...

— ... de vous avoir fait chanter !

— Je n'ai pas de preuves ! Ce n'est pas cela tout en étant cela ! Jamais il n'a dit carrément qu'il savait quelque chose ! Jamais il ne m'a menacé d'une façon catégorique ! Vous vous souvenez du bonhomme ? Un petit personnage en apparence très doux et inoffensif... Un garçon malingre, toujours tiré à quatre épingles, toujours poli, trop poli, avec un sourire un peu triste... Une première fois il est venu me montrer une traite protestée et il m'a supplié de lui prêter de l'argent, en m'offrant des tas de garanties... J'ai marché... J'aurais marché aussi sans l'histoire de Mado...

« Seulement, il en a pris l'habitude. J'ai compris que c'était un plan systématique... J'ai essayé de refuser... Et c'est alors que le chantage a commencé...

« Il m'a pris comme confident... Il m'affirmait que sa seule consolation dans la vie était sa femme... C'est pour elle qu'il se mettait la corde au cou en engageant des dépenses supérieures à ses moyens, etc.

« Et s'il devait lui refuser quelque chose, il préférait se tuer... Et que deviendrait-elle en cas de catastrophe ?...

« Imaginez-vous cela ? Comme par un fait exprès, il arrivait la plupart du temps alors que je quittais Mado... Je craignais même de le voir reconnaître le parfum de sa femme encore accroché à mes vêtements...

« Un jour. il a retiré un cheveu de femme — de la sienne — reste sur le col de mon veston...

« Ce n'était pas le genre menaçant... C'était le genre gémissant...

« Et c'est pire ! On se défend contre des menaces. Mais que voulez-vous faire contre un homme qui pleure ? Car il lui est arrivé de pleurer dans mon bureau...

« Et quels discours !

« — Vous. vous êtes jeune, vous êtes fort, vous êtes beau. vous êtes riche... Avec tout cela, ce n'est pas difficile d'être aimé... Mais moi qui... »

« J'en étais malade de dégoût. Et pourtant il m'était impossible d'avoir la certitude qu'il savait...

« Le dimanche que vous savez, il m'avait déjà parlé. un peu avant le bridge, d'une somme de cinquante mille francs dont il avait besoin.

« Le morceau était trop gros... Je ne voulais pas marcher... J'en avais assez... Alors j'ai dit non carrement ! Et je l'ai menacé de ne plus le voir s'il continuait a me harceler de la sorte...

« D'où le drame... Un drame aussi laid, aussi stupide que tout le reste... Vous vous souvenez ?... Il s'était arrangé pour traverser la Seine en même temps que moi... Il m'avait entraîné derrière la guinguette...

« La. brusquement, il tira un petit revolver de sa poche et. le braquant sur lui-même, il articula :

« — Voilà à quoi vous me condamnez... Je ne

vous demande qu'une grâce : occupez-vous de
Mado !... »

Et Basso se passa la main sur le front pour
chasser cet ignoble souvenir.

« On dirait une fatalité : ce jour-là, j'étais gai...
Peut-être le soleil... Je me suis approché de lui
pour lui prendre son arme.

« — Non ! Non ! a-t-il crié. Trop tard... Vous
m'avez condamné...

— Bien entendu, il était bien décidé à ne pas
tirer ! grommela Maigret.

— J'en suis persuadé ! Et c'est bien le tragique
de l'affaire. Sur le moment, je me suis affolé.
J'aurais dû le laisser faire et il n'y aurait pas eu de
drame. Il s'en serait tiré avec de nouvelles larmes
ou une pirouette... Mais non ! J'ai été naïf,
comme je l'ai été avec Mado, comme je l'ai
toujours été...

« J'ai voulu lui reprendre le revolver... Il a
reculé... Je l'ai poursuivi... J'ai saisi son poi-
gnet... Et ce qui ne devait pas arriver est arrivé...
Le coup est parti... Feinstein est tombé, sans un
mot, sans un gémissement, tout d'une pièce...

« N'empêche que, quand je raconterai cela aux
jurés, ils ne me croiront pas, ou bien ils n'en
seront que plus sévères à mon égard...

« Je suis le monsieur qui a tué le mari de sa
maîtresse et qui l'accuse par-dessus le marché !... »

Il s'animait.

« J'ai voulu fuir. J'ai fui. Et j'ai voulu aussi tout

dire à ma femme, lui demander si, malgré tout, elle se considérait encore comme liée à moi... J'ai rôdé dans Paris où j'ai tenté de rencontrer James...

« C'est un ami, sans doute, le seul ami, parmi toute la bande de Morsang...

« Vous savez le reste... Ma femme aussi... J'aurais préféré passer à l'étranger et éviter le procès qui se prépare et qui sera pénible pour tout le monde... Les trois cent mille francs sont ici... Avec ça et mon énergie, je suis capable de me refaire une situation, en Italie, par exemple, ou en Égypte...

« Mais... est-ce que seulement vous me croyez ?... »

Il se troublait soudain. Ce doute l'effleurait seulement, tant il avait été pris par son sujet.

« Je crois que vous avez tué Feinstein sans le vouloir ! répondit Maigret, lentement, en détachant toutes les syllabes.

— Vous voyez !...

— Attendez ! Ce que je voudrais savoir, c'est si Feinstein n'avait pas un atout plus fort dans son jeu que l'infidélité de sa femme. En bref... »

Il s'interrompit, tira de sa poche le petit carnet d'adresses qu'il ouvrit à la lettre U.

« ... En bref, dis-je, je voudrais savoir qui a tué, il y a six ans, un certain Ulrich, brocanteur, rue des Blancs-Manteaux, et qui a jeté ensuite le cadavre dans le canal Saint-Martin... »

Il avait dû faire un effort pour aller jusqu'au

bout, tant la transformation, chez son interlocuteur, était brutale. Brutale au point que Basso
perdait presque l'équilibre, voulait s'appuyer à
quelque chose, posait la main sur le poêle et la
retirait en grondant :

« Nom de D... ! »

Ses prunelles écarquillées fixaient Maigret avec
épouvante. Il recula, recula, rencontra sa chaise et
s'y assit, comme sans forces, sans ressort, en
répétant machinalement :

« Nom de D... ! »

La porte s'ouvrait sous une poussée fiévreuse.
Et Mme Basso se précipitait dans la pièce en
criant :

« Marcel !... Marcel !... Ce n'est pas vrai, n'est-
ce pas ?... Dis que ce n'est pas vrai !... »

Il la regardait à son tour sans comprendre, sans
rien voir peut-être et soudain, avec un râle, il se
prenait la tête à deux mains et éclatait en sanglots.

« Papa !... Papa !... » glapit le gamin qui accou-
rait et mettait le comble au désordre.

Basso n'entendait rien, repoussait son fils,
repoussait sa femme. Écrasé littéralement, il était
incapable de retenir ses larmes. Il était tout
courbé sur sa chaise, tout cassé. Ses épaules se
soulevaient, retombaient à un rythme puissant.

Le gamin pleurait aussi. Mme Basso se mordait
les lèvres, lançait à Maigret un regard de haine.

Et la vieille Malthilde, qui n'osait pas entrer
mais qui avait assisté à la fin de la scène, grâce à la
porte ouverte, pleurait aussi, dans la chambre à

coucher, comme pleurent les vieilles, à petits sanglots réguliers, en s'essuyant les yeux du coin de son tablier à carreaux.

Elle finit pourtant, en trottinant, en pleurant, en reniflant, par venir remettre sa soupe sur le feu qu'elle aviva à coups de tisonnier.

L'ABSENCE DU COMMISSAIRE MAIGRET

CES scènes-là ne durent pas, sans doute parce que la résistance nerveuse a des limites. Le paroxysme atteint, c'est soudain le calme plat, sans transition, un calme qui confine à l'abrutissement, comme la fièvre précédente confinait à la folie.

On dirait alors qu'on a honte de sa frénésie, de ses larmes, des mots qu'on a prononcés, comme si l'homme n'était pas fait pour les gestes pathétiques.

Maigret attendait, mal à l'aise, en regardant par la petite fenêtre le crépuscule bleuté où se dessinait le képi d'un gendarme. Il sentait pourtant ce qui se passait derrière lui, devinait Mme Basso qui s'approchait de son mari, le saisissait par les épaules, prononçait d'une voix hachée :

« Dis donc que ce n'est pas vrai !... »

Et Basso reniflait, se levait, repoussait sa femme, regardait autour de lui avec de gros yeux troubles d'homme ivre. Le poêle était ouvert. La vieille y jetait du charbon. Cela faisait un grand cercle de lumière rouge au plafond dont les poutres saillaient.

Le gamin regardait son père et, comme lui, cessait de pleurer, par une sorte de mimétisme.

« C'est fini... excusez-moi... », murmura Basso, debout au milieu de la pièce.

On le sentait endolori. Sa voix était lasse. Il ne restait plus en lui la moindre énergie.

« Vous avouez ?

— Je n'avoue pas... Écoutez... »

Il regarda les siens avec une moue douloureuse, un long froncement des sourcils.

« Je n'ai pas tué Ulrich... Si j'ai eu cette... cette faiblesse, c'est que je me rends compte que... que je... »

Il était si vide qu'il ne trouvait pas ses mots.

« Que vous ne pourrez pas vous disculper ? »

Il approuva de la tête. Il ajouta :

« Je ne l'ai pas tué...

— Vous disiez la même chose, tout de suite après la mort de Feinstein... Et pourtant vous venez d'avouer...

— Ce n'est pas la même chose...

— Vous connaissiez Ulrich... »

Un sourire amer.

« Regardez la date qui se trouve à la première page de ce calepin... Il y a douze ans... Il y en a peut-être dix que j'ai vu le père Ulrich pour la dernière fois... »

Il reprenait peu à peu son sang-froid, mais sa voix trahissait un même désespoir.

« Mon père vivait encore... Parlez du père Basso à ceux qui l'ont connu... C'était un homme austère, dur aux autres et à lui-même... Il me laissait moins d'argent pour mes menus frais que les plus pauvres de mes camarades... Alors, on m'a conduit rue des Blancs-Manteaux, chez le père Ulrich, qui avait l'habitude de ces sortes d'opérations...

— Et vous ne savez pas qu'il est mort ? »

Basso se tut. Maigret martela sans reprendre haleine :

« Vous ne savez pas qu'il a été tué, transporté en auto vers les quais du canal Saint-Martin et jeté dans l'écluse ? »

L'autre ne répondit pas. Ses épaules se tassaient davantage. Il regarda sa femme, son fils, la vieille qui, parce que c'était l'heure, mettait la table sans cesser de pleurnicher.

« Qu'est-ce que vous allez faire ?

— Je vous arrête... Mᵐᵉ Basso et votre fils peuvent rester ici, ou rentrer chez vous... »

Maigret entrouvrit la porte, dit au gendarme :

« Vous m'amènerez une voiture... »

Il y avait des groupes de curieux, sur la route, mais ils se tenaient à distance, en paysans prudents qu'ils étaient. Quand Maigret se retourna, Mᵐᵉ Basso était dans les bras de son mari. Et celui-ci lui tapotait le dos machinalement, en regardant dans le vide.

« Jure-moi de bien te soigner, disait-elle dans

un souffle, et surtout, surtout de... de ne pas...
faire de bêtise !

— Oui...

— Jure-le !

— Oui...

— C'est pour ton fils, Marcel !

— Oui... » répéta-t-il avec un rien d'énerve-
ment, tout en se dégageant.

Est-ce qu'il ne craignait pas de se laisser
reprendre par l'émotion ? Il attendait avec impatience l'auto qu'il avait entendu commander. Il ne
voulait plus parler, ni écouter, ni regarder. Ses
doigts étaient agités d'un tremblement fébrile.

« Tu n'as pas tué cet homme, n'est-ce pas ?...
Écoute-moi, Marcel... Il faut que tu m'écoutes...
Pour... pour l'autre, on n'osera pas te condam-
ner... Tu ne l'as pas fait exprès... Et l'on prouvera
que cet homme était un vilain individu... Je vais
tout de suite m'adresser à un bon avocat, au
meilleur... »

Elle parlait passionnément. Elle voulait se faire
entendre.

« Tout le monde sait que tu es un honnête
homme... Peut-être même qu'on obtiendra ta
mise en liberté provisoire... Surtout, il ne faut pas
te laisser abattre !... Du moment que... que
l'autre crime, ce n'est pas toi... »

Et son regard défiait le commissaire.

« Je verrai l'avocat demain matin... Je vais faire
venir mon père de Nancy, pour me conseiller...
Dis !... Est-ce que tu te sens du courage ?... »

Elle ne comprenait pas qu'elle lui faisait mal,
parce qu'elle menaçait de lui enlever le peu de
sang-froid qui lui restait. Est-ce que seulement il
l'entendait ? Il guettait surtout les bruits du
dehors. Il souhaitait de toutes les fibres de son
être l'arrivée de l'auto.

« J'irai te voir, avec ton fils... »

On percevait enfin un ronronnement de moteur
et Maigret mit fin à la scène.

« En route...

— Tu m'as juré, Marcel !... »

Elle ne pouvait pas le laisser partir. Elle poussait le gamin vers lui, pour l'attendrir plus
sûrement. Basso était sur le seuil, descendait les
trois marches.

Alors elle saisit le bras de Maigret, avec tant de
fièvre qu'elle le pinça.

« Attention !... haleta-t-elle. Faites attention
qu'il ne se tue pas !... Je le connais !... »

Elle vit le groupe de curieux, mais elle lança de
ce côté un regard ferme, sans honte, sans timidité.

« Attends !... Mets ton foulard... »

Et elle courut le chercher dans la pièce, le tendit
par la portière de la voiture alors que celle-ci était
déjà en marche.

Dans l'auto, on eût dit que le fait d'être entre
hommes suffisait à créer une détente. Maigret et
Basso restèrent au moins dix minutes sans rien
dire, le temps de quitter la route départementale
pour la grand-route de Paris. Et les premiers mots

de Maigret semblaient n'avoir aucun rapport avec
le drame.

« Vous avez une femme admirable ! dit-il.

— Oui... elle a compris... Peut-être parce
qu'elle est mère !... Est-ce que je pourrais dire
pourquoi, moi-même, je suis devenu l'amant de...
de l'autre ?... »

Un silence. Il poursuivit sur un ton de confi-
dence :

« Au moment même, on n'y réfléchit pas...
C'est un jeu... puis on n'a pas le courage de
rompre... On craint les larmes, les menaces... Et
voilà où l'on en arrive !... »

Le décor se bornait aux arbres qui défilaient
dans le halo des phares. Maigret bourra une pipe,
passa sa blague à son compagnon.

« Merci... Je ne fume que la cigarette... »

Cela faisait du bien de dire des choses banales,
des petites phrases de tous les jours.

« Il y a pourtant une dizaine de pipes dans votre
tiroir...

— Oui... Avant... J'étais même un amateur de
pipes enragé... C'est ma femme qui m'a
demandé... »

La voix se cassa. Maigret devina les yeux
embués de son compagnon. Il se hâta d'ajouter :

« Votre secrétaire, elle aussi, vous est très
dévouée.

— C'est une bonne fille... Elle défend âpre-
ment mes intérêts... Elle doit être bouleversée,
n'est-ce pas ?...

— Je dirais plutôt qu'elle semble avoir confiance... La preuve en est qu'elle m'a demandé quand vous rentreriez... En somme, tout le monde, autour de vous, vous aime... »

Le silence retomba. On traversait Juvisy. A Orly, les projecteurs du terrain d'aviation balayaient le ciel.

« C'est vous qui avez donné à Feinstein l'adresse du père Ulrich ? »

Mais Basso, méfiant, ne répondit pas.

« Feinstein a eu souvent recours à l'usurier de la rue des Blancs-Manteaux... Le nom est en toutes lettres dans ses livres, et les sommes... Lors du meurtre du brocanteur, Feinstein lui devait au moins trente mille francs... »

Non ! Basso ne voulait pas répondre. Et son silence avait quelque chose d'obstiné, de volontaire.

« Quelle est la profession de votre beau-père ?

— Il est professeur dans un lycée de Nancy.. Ma femme sort de Normale, elle aussi... »

On eût dit que le drame s'approchait et s'éloignait selon les paroles prononcées. A certains moments, Basso parlait d'une voix presque naturelle, comme s'il eût oublié sa situation. Puis soudain c'était un silence lourd de choses inexprimées.

« Votre femme a raison... Pour l'affaire Feinstein, vous avez des chances d'être acquitté... Au maximum risquez-vous un an... Par exemple, pour l'affaire Ulrich... »

Et, sans transition :

« Je vais vous laisser pour la nuit à la permanence de la Police Judiciaire... Il sera temps, demain, de vous écrouer officiellement... »

Maigret secoua sa pipe, baissa la glace pour dire au chauffeur :

« Quai des Orfèvres !... Vous entrerez dans la cour... »

Cela se passa très simplement. Basso suivit le commissaire jusqu'à la porte de la cellule où le vagabond de la guinguette avait, lui aussi, été enfermé.

« Bonne nuit ! dit Maigret en regardant s'il ne manquait rien dans la pièce. Je vous verrai demain. Réfléchissez. Vous êtes sûr que vous n'avez rien à me dire ?... »

L'autre était peut-être trop ému pour parler. Toujours est-il qu'il se contenta de secouer négativement la tête.

Confirme arrivée jeudi, stop, resterai quelques jours, stop, baisers.

C'est le mercredi matin que Maigret adressa ce télégramme à sa femme. Il était installé dans son bureau du quai des Orfèvres et il l'envoya porter à la poste par Jean.

Quelques instants plus tard, le juge d'instruction chargé de l'affaire Feinstein lui téléphonait.

« Ce soir, j'espère vous remettre le dossier complet de l'affaire ! affirma le commissaire.

— ...

— Oui ! le coupable aussi, bien entendu...

— ...

— Pas du tout ! Une affaire aussi banale que possible ! Oui ! A ce soir, monsieur le juge ! »

Il se leva, pénétra dans le bureau des inspecteurs où il aperçut Lucas occupé à rédiger un rapport.

« Notre vagabond ?

— J'ai repassé la consigne à l'inspecteur Dubois... Rien d'intéressant à signaler... Victor a commencé par travailler à l'asile de l'Armée du Salut... Il avait l'air de prendre son rôle au sérieux... Comme il avait parlé de son poumon, les salutistes étaient bien disposés à son égard et je crois qu'on le considérait comme une recrue sérieuse... Dans un mois, on l'aurait sans doute vu avec l'uniforme à col rouge...

— Et alors ?

— Une rigolade ! Hier au soir, un lieutenant de l'Armée du Salut est arrivé et a commandé je ne sais plus quoi à notre homme. Celui-ci a refusé d'obéir, s'est mis à crier que c'était une honte de faire travailler sans pitié un homme comme lui, atteint de toutes les maladies... Puis, comme on le priait de sortir, il en est venu aux mains... On a dû le mettre dehors de force... Il a passé la nuit sous le pont Marie... A cette heure, il traîne le long des

quais… D'ailleurs, Dubois téléphonera bientôt
pour vous mettre au courant…

— Comme je ne serai pas ici, tu lui diras
d'amener l'homme et de l'enfermer dans la cellule
où il y a déjà quelqu'un.

— Compris. »

Et Maigret rentra chez lui où, jusqu'à midi, il
prépara ses bagages. Il déjeuna dans une brasserie
des environs de la République, consulta l'indica-
teur des chemins de fer et s'assura qu'il avait un
excellent train pour l'Alsace à dix heures quarante
du soir.

Ces occupations paresseuses le menèrent tout
doucement jusque quatre heures de l'après-midi
et, un peu plus tard, il prenait place à la terrasse
de la taverne Royale. Il était à peine assis que
James arrivait à son tour, tendait la main, cherchait le garçon des yeux, questionnait :

« Pernod ?

— Ma foi…

— Deux Pernod, garçon ! »

Et James croisa les jambes, soupira, regarda
devant lui en homme qui n'a rien à dire ni à
penser. Le temps était gris. Des coups de vent
imprévus balayaient la chaussée et soulevaient des
nuages de poussière.

« Il y aura encore un orage ! » soupira James.

Et, sans transition :

« C'est vrai, ce que disent les journaux ? Vous
avez arrêté Basso ?

— Hier après-midi, oui !

— A votre santé... C'est idiot...

— Qu'est-ce qui est idiot ?

— Ce qu'il a fait... Voilà un homme sérieux, qui a l'air solide, sûr de lui, et qui s'affole comme un gamin... Il aurait été mieux avisé de se rendre dès le début, de se défendre... Qu'est-ce qu'il risquait, au fond ?... »

Maigret avait déjà entendu le même discours, des lèvres de Mme Basso, et il eut un sourire amusé.

« A votre santé !... Vous avez peut-être raison, mais peut-être aussi avez-vous tort...

— Que voulez-vous dire ? Le crime n'était pas prémédité, n'est-ce pas ? Au fond, cela ne peut même pas s'appeler un crime...

— Justement ! Si Basso n'a que la mort de Feinstein à se reprocher, c'est un impulsif et un faible qui a sottement perdu son sang-froid... »

Et le commissaire, brusquement, si brusquement que James sursauta :

« Cela fait combien, garçon ?

— Six cinquante...

— Vous partez ?

— C'est-à-dire que je dois avoir une entrevue avec Basso.

— Ah !

— Au fait, cela vous ferait-il plaisir de le voir ?... Entendu ! je vous emmène... »

Dans le taxi, ils n'échangèrent que des phrases banales.

« Mme Basso a bien supporté le coup ?

— C'est une femme très courageuse... Et très
cultivée ! Je ne l'aurais pas cru en la voyant le
dimanche, à Morsang, en tenue de marin... »

Et Maigret questionna :

« Comment va votre femme ?

— Très bien... Comme toujours.

— Ces événements ne l'ont pas troublée ?

— Pourquoi ?... Sans compter qu'elle n'est pas
femme à se troubler... Elle s'occupe de son
ménage... Elle coud... Elle brode... Elle passe
une heure ou deux dans les grands magasins, à la
recherche d'une occasion...

— Nous sommes arrivés... Venez ! »

Et Maigret pilota son compagnon à travers la
cour, jusqu'au corps de garde où il questionna :

« Ils sont là ?

— Oui.

— Tranquilles ?

— Sauf celui que Dubois a amené ce matin et
qui prétend qu'il s'adressera à la Ligue des Droits
de l'Homme... »

Maigret sourit à peine, ouvrit la porte de la
cellule, fit passer James devant lui.

Il n'y avait qu'une couchette et c'était le
vagabond qui s'y était installé, après avoir retiré
ses espadrilles et son veston.

Basso, lui, au moment où la porte s'ouvrait, se
promenait de long en large, les mains derrière le

dos. Son regard alla aussitôt, interrogateur, à ses deux visiteurs, s'arrêta sur Maigret.

Quant à Victor Gaillard, il se leva avec mauvaise humeur, se rassit et grommela entre ses dents des choses inintelligibles.

« J'ai rencontré votre ami James, dit Maigret, et j'ai pensé que cela vous ferait plaisir de...

— Bonjour, James... », fit Basso en lui serrant la main.

Mais il manquait quelque chose. On n'eût pu dire quoi. Il y avait dans l'atmosphère une réticence, un froid indéfinissable, qui décida peut-être Maigret à brusquer les choses.

« Messieurs, commença-t-il, je vous demande de vous asseoir, car nous en avons pour quelques minutes... Toi, fais de la place sur la couchette... Et surtout essaie de rester un quart d'heure sans tousser... Cela ne prend pas ici !... »

Le vagabond se contenta de ricaner, en homme qui attend son heure.

« Asseyez-vous, James... Et vous aussi, monsieur Basso... Parfait ! Maintenant, si vous le voulez bien, je vais essayer de résumer en quelques mots la situation... Vous m'écoutez attentivement, n'est-ce pas ?... Il y a quelque temps, un condamné à mort du nom de Lenoir portait, au moment de mourir, une accusation contre quelqu'un dont il se refusait à livrer le nom...

« Il s'agissait d'un vieux crime dont la banalité même a assuré l'impunité...

« En bref, voilà six ans, une voiture quittait une

rue de Paris et se dirigeait vers le canal Saint-
Martin... Là, le conducteur de l'auto descendait,
chargeait sur son bras un cadavre qui se trouvait à
l'intérieur et le poussait dans l'eau profonde...

« On n'en aurait jamais rien su si deux rôdeurs
n'avaient assisté à la scène... Deux rôdeurs qui
avaient nom Lenoir et Victor Gaillard...

« L'idée ne leur vient pas de s'adresser à la
police... Ils préfèrent profiter de leur découverte
et les voilà qui vont trouver l'assassin et qui lui
soutirent régulièrement des sommes d'argent plus
ou moins fortes...

« Seulement, ils sont encore jeunes dans le
métier... Ils ne prennent pas toutes leurs précau-
tions et, un beau matin, leur banquier a changé
d'adresse...

« C'est tout ! La victime s'appelle Ulrich ! Il
s'agit d'un brocanteur juif qui est seul à Paris et
dont, par conséquent, personne ne s'inquiète ! »

Maigret alluma lentement sa pipe, sans regarder ses interlocuteurs. Dans la suite, il ne les
regarda pas davantage, mais fixa obstinément ses
chaussures.

« Six ans plus tard, Lenoir retrouve par hasard
l'assassin en question, mais il n'a pas le temps de
renouer avec lui des relations fructueuses, car un
crime qu'il commet pour son compte lui vaut une
condamnation à mort...

« Écoutez-moi bien, je vous en prie... Avant de
mourir, comme je l'ai déjà dit, il prononce
quelques mots qui me suffisent à circonscrire mes

recherches dans un petit cercle bien déterminé. Mais aussi il écrit à son ancien camarade pour lui annoncer la nouvelle et celui-ci accourt à la guinguette à deux sous...

« Voilà, si vous voulez, le second acte... Ne m'interrompez pas, James !... Toi non plus, Victor...

« Et revenons au dimanche où Feinstein est mort... Ce jour-là, l'assassin d'Ulrich était à la guinguette à deux sous... C'était vous, Basso, ou moi, ou vous, James, ou Feinstein, ou n'importe quel autre...

« Une seule personne qui puisse nous fixer avec certitude : Victor Gaillard ici présent... »

Celui-ci ouvrit la bouche et Maigret cria littéralement :

« Silence ! »

Il ajouta ensuite sur un autre ton :

« Or Victor Gaillard, qui est un malin et une crapule par surcroît, n'a pas du tout envie de parler pour rien... Il réclame trente mille francs pour livrer le nom... Mettons qu'à vingt-cinq mille il marcherait... Silence, sacrebleu ! Laissez-moi finir...

« La police n'a pas l'habitude d'offrir de pareilles primes et tout ce qu'elle peut faire pour Gaillard, c'est de le poursuivre sous l'inculpation de chantage...

« Revenons aux coupables possibles... J'ai dit tout à l'heure que toutes les personnes présentes le

dimanche en question à la guinguette pouvaient
être soupçonnées...

« Mais il y a des degrés... Par exemple, il est
prouvé que Basso, jadis, a connu le sieur Ulrich...
Il est prouvé que non seulement Feinstein le
connaissait aussi, mais que la mort du brocanteur
lui a permis de ne pas rembourser la forte somme
qu'il lui devait...

« Feinstein est mort... L'enquête a démontré
que c'était un personnage assez peu recommanda-
ble...

« Si c'est lui qui a tué Ulrich, l'action pénale
s'éteint d'elle-même et le dossier de cette affaire
en restera où il en est...

« Victor Gaillard pourrait nous fixer, mais je
n'ai pas le droit d'accepter son chantage...

« Silence, sacrebleu !... Vous parlerez quand on
vous questionnera... »

C'était le vagabond qui s'agitait et qui ouvrait la
bouche à chaque instant pour prendre la parole.

Maigret ne regardait toujours personne. Il avait
parlé d'une voix monotone, comme on récite une
leçon.

Et soudain il se dirigea vers la porte en grommelant :

« Je reviens dans un instant... Un coup de
téléphone urgent à donner... »

La porte s'ouvrit, se referma, et l'on entendit
des pas qui s'éloignaient dans l'escalier.

11

L'ASSASSIN D'ULRICH

« Allo oui !... D'ici une dizaine de minutes,
monsieur le juge... Qui ?... Je ne sais pas encore...
Je vous jure !... Est-ce que j'ai l'habitude de
plaisanter ?... »

Et il raccrocha, se promena de long en large
dans son bureau, s'approcha de Jean.

« A propos, je serai absent pendant quelques
jours, à partir de ce soir... Voici l'adresse à
laquelle il faudra faire suivre mon courrier... »

Il regarda plusieurs fois sa montre, se décida
enfin à descendre vers la cellule où il avait laissé
les trois hommes.

Quand il entra, la première chose qu'il vit, ce
fut le visage haineux du vagabond, qui n'était plus
à la même place mais qui arpentait la pièce à pas
rageurs. Basso, lui, assis au bord de la couchette,
se tenait la tête dans les mains.

Quant à James, il était appuyé au mur, les bras
croisés, et il fixait Maigret avec un drôle de
sourire.

« Excusez-moi de vous avoir fait attendre... Je...

— C'est fait ! dit James. Mais votre absence était inutile. »

Et son sourire était plus ému à mesure que Maigret se montrait déconfit.

« Victor Gaillard ne gagnera ses trente mille francs ni en parlant ni en se taisant... C'est moi qui ai tué Ulrich... »

Le commissaire ouvrit la porte, appela un inspecteur qui passait.

« Enfermez-moi cet homme n'importe où jusqu'à tout à l'heure... »

Il désigna le vagabond qui lança encore à Maigret :

« Vous vous souviendrez que c'est moi qui vous ai conduit chez Ulrich !... Sans cela... Et cela vaut bien... »

Cette obstination à tirer coûte que coûte profit du drame n'était même plus ignoble, mais pitoyable.

« Cinq mille !... » cria-t-il de l'escalier.

Ils n'étaient plus que trois dans la cellule. Basso, des trois, était le plus accablé. Il hésita longtemps, se leva, se campa devant Maigret.

« Je vous jure, commissaire que j'ai voulu donner les trente mille francs... Qu'est-ce que cela peut me faire ?... James n'a pas voulu... »

Maigret les regarda l'un après l'autre avec un étonnement qui se teintait d'une sympathie grandissante.

« Vous étiez au courant, Basso ?

— Depuis longtemps... », murmura celui-ci.

Et James de préciser :

« C'est lui qui m'a donné les sommes que les deux voyous m'extorquaient... Pour cela, je lui ai tout avoué...

— C'est malin ! s'énerva Basso. Il suffisait de trente mille francs pour...

— Mais non ! Mais non ! soupira James... Tu ne peux pas comprendre... Le commissaire non plus... »

Il regarda autour de lui comme pour chercher quelque chose.

« Personne n'a une cigarette ? »

Basso lui tendit son étui.

« Pas de Pernod, bien entendu !... Cela ne fait rien... Il faut que je commence à m'habituer... N'empêche que cela aurait été plus facile... »

Et il remuait les lèvres comme un buveur que tourmente le besoin de la boisson.

« Au fait, je n'ai pas grand-chose à dire... J'étais marié... Un petit mariage tranquille... Une petite vie quelconque... J'ai rencontré Mado... Et, bêtement, j'ai cru que c'était arrivé... Toute la littérature... *Ma vie pour un baiser... Une vie courte mais bonne... Dégoût de la banalité...* »

Il avait une façon flegmatique de dire cela qui

donnait à sa confession quelque chose d'inhu-
main, de clownesque.

« Il y a un âge où tout cela prend ! Garçonnière !
Rendez-vous secrets ! Petits fours et porto ! Et ces
choses-là coûtent cher. Et je gagnais mille francs
par mois ! C'est toute l'histoire, une histoire bête à
pleurer ! Je n'osais pas parler d'argent à Mado ! Je
n'osais pas lui dire que je n'avais pas de quoi payer
la garçonnière de Passy ! Et c'est le mari, par
hasard, qui m'a donné le tuyau d'Ulrich…

— Vous lui avez emprunté beaucoup ? questionna Maigret.

— Pas même sept mille… Mais c'est beaucoup
quand on gagne mille francs par mois… Un soir
que ma femme était chez sa sœur, à Vendôme,
Ulrich est venu, m'a menacé, si je ne payais pas
tout au moins les intérêts, de s'adresser à mes
patrons d'une part, de me faire saisir ensuite…
Vous imaginez la catastrophe ?… Mon directeur
et ma femme qui apprenaient tout en même
temps ? »

Et la voix restait calme, ironique.

« J'ai fait l'idiot… D'abord, je ne voulais
qu'impressionner Ulrich en lui cassant la figure…
Mais, quand il a eu le nez en sang, il a essayé de
hurler… J'ai serré le cou… Pourtant, j'étais très
calme… C'est une erreur de croire que, dans ces
moments-là, on perd la tête… Au contraire ! Je
crois que je n'ai jamais eu tant de lucidité… Je
suis allé louer une voiture… Et je tenais le cadavre

de telle sorte qu'on pût croire que c'était un
camarade ivre... Vous savez le reste... »

Il faillit tendre le bras vers la table pour y
prendre un verre qui ne s'y trouvait pas.

« C'est tout... Après cela, on voit la vie autrement... Avec Mado, ça a encore traîné un mois...
Ma femme a pris l'habitude de m'engueuler parce
que je buvais... Et il me fallait donner de l'argent
aux deux individus... J'ai tout dit à Basso... On
prétend que cela fait du bien de se confier... Tout
cela, c'est de la littérature... Ce qui fait du bien,
c'est de recommencer sa vie au début, de redeve-
nir un petit enfant dans son berceau... »

C'était si cocasse et surtout si cocassement dit
que Maigret ne put s'empêcher de sourire. Il
s'aperçut que Basso souriait aussi.

« Seulement, n'est-ce pas ? ce serait encore plus
idiot d'aller un beau jour au commissariat et de
raconter qu'on a tué un bonhomme.

— Alors, on se crée son coin à soi !... dit
Maigret

— Puisqu'il faut vivre !... »

C'était plus morne que tragique ! A cause, sans
doute, de l'étrange personnalité de James ! Il
mettait son point d'honneur à rester simple. Il
avait la pudeur de la moindre émotion.

Si bien qu'en fin de compte c'était lui le plus
calme et qu'il avait l'air de se demander pourquoi
les deux autres avaient des mines bouleversées.

« Il faut que les hommes soient bêtes pour que
Basso lui-même, un beau jour... Et avec Mado

encore !... Pas avec une autre !... Et cela a mal
tourné !... Si je l'avais pu, j'aurais dit que c'était
moi qui avais tué Feinstein... On en était quittes
une bonne fois... Mais je n'étais même pas sur les
lieux !... Il a fait l'imbécile jusqu'au bout... Il s'est
enfui... Je l'ai aidé de mon mieux... »

Il y avait tout de même quelque chose dans la
gorge de James et c'est pour cela qu'il garda le
silence un bon moment, avant de reprendre de sa
même voix monotone :

« Comme s'il n'aurait pas mieux fait de dire la
vérité !... Tout à l'heure encore, il voulait donner
les trente mille francs...

— C'était quand même plus simple ! grommela
Basso. Maintenant, au contraire...

— Maintenant, j'en suis quitte une bonne fois !
acheva James. De tout ! De cette saloperie d'existence ! Du bureau, du café, de ma... »

Il n'acheva pas. Mais il avait failli dire : de ma
femme ! De sa femme avec qui il n'avait plus le
moindre point commun. Du studio de la rue
Championnet où il passait ses soirées en lisant
sans conviction ce qui lui tombait sous la main !
De Morsang où il allait de groupe en groupe
racoler des compagnons pour l'apéritif.

Il reprit :

« Je vais être tranquille ! »

Au bagne ! Ou en prison ! Il n'aurait plus besoin
d'attendre quelque chose qui ne se produisait pas !

Tranquille dans son coin à lui, mangeant,
buvant, dormant, à heure fixe, cassant des cail-

loux sur la route ou confectionnant des accessoires
de cotillon !

« En somme, on me donnera bien vingt
ans ?... »

Basso le regarda. Il devait à peine voir son ami,
car des larmes embuaient ses yeux, roulaient sur
ses joues.

« Mais tais-toi donc ! cria-t-il, les doigts crispés.
— Pourquoi ? »

Maigret se moucha, essaya machinalement d'allumer sa pipe qui était vide.

Il avait l'impression de n'être jamais descendu
aussi bas dans le noir du désespoir.

Même pas le noir ! Non ! Un désespoir gris et
terne ! Un désespoir sans phrases, sans ricane-
ments, sans contorsions.

Un désespoir au Pernod, sans même accompa-
gnement d'ivresse. James ne s'enivrait jamais !

Le commissaire comprenait maintenant le sens
de l'attirance qui les réunissait le soir à la terrasse
de la taverne Royale.

Ils buvaient, côte à côte. Ils échangeaient des
propos quelconques, mollement.

Et, au fond de lui-même, James espérait bien
qu'à un certain moment son compagnon lui
mettrait la main au collet ! Il guettait chez Maigret
le soupçon naissant. Ce soupçon, il le nourrissait,
le regardait grandir. Il attendait.

« Un Pernod, vieux ? »

Il le tutoyait. Il l'aimait comme un ami qui allait
le délivrer de lui-même.

***

Et tandis que Maigret et Basso échangeaient un regard indéfinissable, on entendit James qui disait, en écrasant le bout de sa cigarette contre la table de bois blanc :

« Le malheur, c'est qu'on ne puisse pas partir tout de suite… Le procès… Les interrogatoires… Des gens qui pleurent ou s'apitoient… »

Un inspecteur entrouvrit la porte.

« Le juge d'instruction est arrivé ! » annonça-t-il.

Et Maigret resta indécis, ne sachant comment s'en aller. Il s'avança, tendit la main en soupirant.

« Dites donc ! Vous voulez bien me recommander à lui ? Simplement lui demander que ça aille vite ! J'avoue tout ce qu'on veut ! Mais qu'on m'envoie le plus tôt possible dans un coin… »

Il voulut corriger la gravité de ces dernières phrases et lança en guise de conclusion :

« Un qui va tirer une tête, c'est le garçon de la taverne Royale !… Vous irez encore, commissaire ?… »

Trois heures plus tard, celui-ci roulait vers l'Alsace, dans un compartiment de seconde classe, et, le long de la Marne, il vit des guinguettes toutes pareilles à la guinguette à deux sous avec le piano mécanique sous un hangar en planches.

Quand il se réveilla au petit jour, il y avait, devant le train arrêté, une barrière peinte en vert, une petite gare entourée de fleurs.

Mme Maigret et sa sœur, déjà inquiètes, regardaient les portières, les unes après les autres.

Et tout cela, la gare, la campagne, la maison des parents, les collines d'alentour, le ciel lui-même, tout était frais comme si chaque matin c'eût été lavé à grande eau.

« Hier, à Colmar, je t'ai acheté des sabots vernis... Regarde... »

Des beaux sabots jaunes que Maigret voulut essayer avant même de quitter son complet sombre de Paris.

OUVRAGES DE GEORGES SIMENON
AUX PRESSES DE LA CITÉ (suite)

« TRIO »

PRESSES POCKET

A LA N.R.F.

ÉDITION COLLECTIVE SOUS COUVERTURE VERTE

MÉMOIRES

Achevé d'imprimer en avril 1984
sur les presses de l'Imprimerie Bussière
à Saint-Amand (Cher)

Presses
Pocket

8 rue Garancière
75006 Paris
tél. 329 12 80

— N° d'édit. 1162. — N° d'imp. 852. —
Dépôt légal : 1er trimestre 1977.
Imprimé en France